九年义务教育六年制小学教科书

语 文

YǓ WÉN

第五册

三年级______班

姓名__________

目 录

带*的是阅读课文。

图·刘虹

chén dú
1 晨读

qīng chén tiān qì gé wài qíng lǎng wēn
清晨，天气格外晴朗。温
nuǎn de yáng guāng sǎ mǎn shān cūn cūn tóu de
暖的阳光洒满山村。村头的
cháng yuàn lǐ yì zhī lǎo mǔ jī dài zhe yì
场院里，一只老母鸡带着一
qún xiǎo jī yōu xián de xún zhǎo shí wù jǐ pén
群小鸡，悠闲地寻找食物。几盆
huā cǎo yíng zhe zhāo yáng chéng xiàn chū bó bó
花草迎着朝阳，呈现出勃勃
shēng jī
生机。

cūn lǐ de sān gè xiǎo huǒ bàn yòu zuò
村里的三个小伙伴，又坐
zài mò tái shàng dú shū le kàn zuò zài yòu
在磨台上读书了。看，坐在右
biān de nà gè xiǎo nǚ hái dú de duō rù shén
边的那个小女孩读得多入神
na qiān bǐ fàng zài shēn biān liǎng shǒu pěng zhe
哪！铅笔放在身边，两手捧着
shū wán quán bèi kè wén xī yǐn zhù le lián xiǎo
书，完全被课文吸引住了，连小

jī zài tā shēn biān jī jī jiào dōu méi yǒu jué
鸡在她身边叽叽叫都没有觉
chá zuò zài dāng zhōng dài hóng lǐng jīn de nán
察。坐在当中戴红领巾的男
hái yǎng zhe tóu zhèng zài gāo shēng bèi sòng yīng
孩，仰着头，正在高声背诵英
yǔ dān cí páng biān fàng zhe dān cí kǎ piàn
语单词，旁边放着单词卡片。
tā bèi de shú jì de láo xiǎn chū yí
他背得熟，记得牢，显出一
fù shí fēn dé yì de yàng zi kào zuǒ biān zuò
副十分得意的样子。靠左边坐
de xiǎo nán hái kě néng píng shí yǒu xiē tān
的小男孩，可能平时有些贪
wán dàn gōng jīng cháng zhuāng zài shū bāo lǐ zhè
玩，弹弓经常装在书包里。这
huì ér tā yòng shū tuō zhe xià ba zhèng zài
会儿，他用书托着下巴正在
rèn zhēn sī suǒ shì sī suǒ yí dào nán tí
认真思索，是思索一道难题
ne hái shì sī suǒ jīn hòu yīng gāi zěn yàng
呢，还是思索今后应该怎样
gèng zhuān xīn de xué xí
更专心地学习？

xiàn zài tā men yǐ jīng dǒng de zhēn xī
现在，他们已经懂得珍惜
shí jiān yòng gōng dú shū jǐ nián shí jǐ nián
时间，用功读书。几年、十几年
yǐ hòu tā men yí dìng huì yǒu chū xi yòng zhì
以后，他们一定会有出息，用智

huì hé qín láo jiàn shè kě ài de jiā xiāng
慧和勤劳，建设可爱的家乡。

---

xún zhāo mò shén cí tān suǒ
寻 朝 磨 神 词 贪 索

zhēn xī zhì huì qín shè
珍 惜 智 慧 勤 设

思考·练习

kàn tú dú kè wén zài huí dá wèn tí
1 看图，读课文，再回答问题。

(1) 从图上你是怎样看出时间是早晨，三个小伙伴是生活在山村的孩子的？

(2) 从图上哪些地方可以看出三个小伙伴在认真读书？课文中又是怎样讲的？

dú jù zi shuō shuo dài diǎn cí yǔ de yì si
2 读句子，说说带点词语的意思。

(1) 看，坐在右边的那个小女孩读得多入神哪！

(2) 他背得熟，记得牢，显出一副十分得意的样子。

(3)现在，他们已经懂得珍惜时间，用功读书。几年、十几年以后，他们一定会有出息，用智慧和勤劳，建设可爱的家乡。

zhào yàng zi xiě jù zi
3 照样子写句子。

三个小伙伴	坐在	磨台上	晨读。
		教室里	

dú dú xiě xiě bìng yòng dài diǎn de cí yǔ zào jù
4 读读写写，并用带点的词语造句。

寻找 朝阳 磨台 入神 单词 贪玩

思索 珍惜 智慧 勤劳 建设 出息

yǒu gǎn qíng de lǎng dú kè wén
5 有感情地朗读课文。

shī shēng qíng

2 师 生 情

图·赵无畏

wáng lǎo shī bìng le zhù zài yī yuàn
王老师病了，住在医院
lǐ
里。

zhè tiān sān wèi nǚ tóng xué dài zhe quán
这天，三位女同学带着全
bān tóng xué de xīn yì qù kàn wàng wáng lǎo
班同学的心意去看望王老
shī
师。

tiān xià zhe méng méng xì yǔ xià wǔ
天下着蒙蒙细雨。下午
yí fàng xué tā men jiù bēi qǐ shū bāo dǎ qǐ
一放学，她们就背起书包，打起
yǔ sǎn tí shàng yì lán zi jī dàn jí cōng
雨伞，提上一篮子鸡蛋，急匆
cōng de xiàng yī yuàn zǒu qù tā men duō me
匆地向医院走去。她们多么
xiǎng zǎo diǎn ér kàn dào wáng lǎo shī a wáng
想早点儿看到王老师啊！王
lǎo shī zǒng shì nà me hé ǎi kě qīn wèi le
老师总是那么和蔼可亲，为了
tóng xué men de jiàn kāng chéng zhǎng rì yè cāo
同学们的健康成长，日夜操
láo tóng xué men dōu fēi cháng zūn jìng hé ài
劳。同学们都非常尊敬和爱
dài tā wáng lǎo shī zhè cì shēng bìng kěn dìng
戴她。王老师这次生病，肯定
shì yīn wèi guò dù láo lèi yǐn qǐ de tā men
是因为过度劳累引起的。她们

sān gè yì biān zǒu yì biān shāng liang zhe jiàn
三个一边走一边商量着：见
dào lǎo shī shǒu xiān yào gào sù tā bān lǐ yí
到老师，首先要告诉她，班里一
qiè dōu hǎo qǐng tā ān xīn yǎng bìng rán hòu
切都好，请她安心养病；然后
xiàng tā zhuǎn dá quán bān tóng xué de wèn hòu
向她转达全班同学的问候；
zuì hòu bǎ tóng xué men yí gè yí gè còu qǐ
最后把同学们一个一个凑起
lái de jī dàn sòng gěi tā yào tā bǔ yǎng
来的鸡蛋送给她，要她补养
shēn tǐ
身体。

tā men lái dào yī yuàn hù shì bú ràng
她们来到医院，护士不让
tā men zǒu jìn bìng fáng shuō shì zhèng zài gěi
她们走进病房，说是正在给
wáng lǎo shī shū yè bù néng dǎ rǎo tā sān
王老师输液，不能打扰她。三
gè rén shùn cóng de diǎn diǎn tóu tā men bǎ
个人顺从地点点头。她们把
yì lán zi jī dàn qīng qīng fàng zài dì shàng
一篮子鸡蛋轻轻放在地上，
bǎ yǔ sǎn lì zài mén biān diǎn qǐ jiǎo tòu guò
把雨伞立在门边，踮起脚，透过
mén shàng de bō li zhēng zhe xiàng wū lǐ kàn
门上的玻璃，争着向屋里看。
tā men yě xǔ kàn dào le wáng lǎo shī qiáo cuì
她们也许看到了王老师憔悴

de liǎn yě xǔ kàn dào tā de shēn yǐng yě xǔ
的脸，也许看到她的身影，也许
zhǐ kàn dào shū yè de diào píng kě tā men hái
只看到输液的吊瓶，可她们还
shì shēn qíng de kàn zhe děng zhe xīn lǐ mò
是深情地看着，等着，心里默
mò de zhù yuàn zhe
默地祝愿着。

---

bān dàn ǎi jiàn kāng zūn kěn lèi
班 蛋 蔼 健 康 尊 肯 累
shāng shùn tòu bō li shēn mò
商 顺 透 玻 璃 深 默

思考·练习

kàn tú dú kè wén zài huí dá wèn tí
1 看图，读课文，再回答问题。

(1) 图上画的是什么时间，天气怎样？你是怎么看出来的？

(2) 图上的三位女同学在干什么？她们的心情怎样？

(3) 同学们为什么都非常尊敬和爱戴王老师？

dú jù zi huí dá kuò hào lǐ de wèn tí
2 读句子，回答括号里的问题。

(1) 三位女同学带着全班同学的心意去看望王老师。（“心意”是什么意思？全班同学的心意是什么？）

(2) 她们多么想早点儿看到王老师啊！（联系上下文，说说她们为什么想早点儿看到王老师。）

(3) 她们还是深情地看着，等着，心里默默地祝愿着。（“深情”在这里是什么意思？她们在祝愿着什么？）

dú yí dú shuō shuo xià miàn de huà jiǎng le jǐ gè yì si zài yòng dài diǎn de cí shuō yí jù huà
3 读一读，说说下面的话讲了几个意思，再用带点的词说一句话。

见到老师，**首先**要告诉她，班里一切都好，请她安心养病；**然后**向她转达全班同学的问候；**最后**把同学们一个一个凑起来的鸡蛋送给她，要她补养身体。

4 读读写写，说说带点词语的意思。

鸡蛋　和蔼　健康　尊敬　肯定　劳累

商量　顺从　透过　玻璃　深情　默默

5 有感情地朗读课文。

xiǎo shè yǐng shī

3 小摄影师*

nián xià tiān gāo ěr jī zhù zài
1928年夏天，高尔基住在
liè níng gé lè tā jīng cháng zuò zài chuāng zi
列宁格勒。他经常坐在窗子
páng biān gōng zuò yí gè yáng guāng míng mèi de
旁边工作。一个阳光明媚的
zǎo chén gāo ěr jī zhèng zài dú shū tū rán
早晨，高尔基正在读书，突然，
yí gè xiǎo zhǐ tuán cóng chuāng wài fēi dào le
一个小纸团从窗外飞到了
zhuō zi shàng gāo ěr jī dǎ kāi zhǐ tuán shàng
桌子上。高尔基打开纸团，上
miàn xiě zhe qīn ài de gāo ěr jī tóng zhì
面写着：“亲爱的高尔基同志，
wǒ shì yì míng shào xiān duì yuán wǒ xiǎng gěi
我是一名少先队员。我想给
nín zhào zhāng xiàng tiē zài wǒ men de qiáng bào
您照张相，贴在我们的墙报
shàng qǐng nín ràng tā men fàng wǒ jìn qù wǒ
上。请您让他们放我进去。我

* 本文译者是范静，入选课文时文字有改动。

zhào wán xiàng lì kè jiù
照完相，立刻就
zǒu
走。”

gāo ěr jī cóng
高尔基从
chuāng kǒu xiàng wài wàng
窗口向外望
qù kàn jiàn rén xíng dào
去，看见人行道
biān shàng zuò zhe gè
边上坐着个10
suì zuǒ yòu de xiǎo nán
岁左右的小男
hái shǒu lǐ ná zhe yí
孩，手里拿着一
jià zhào xiàng jī
架照相机。

shì nǐ rēng
“是你扔
de zhǐ tuán ma gāo
的纸团吗？”高
ěr jī wèn
尔基问。

shì de xiǎo
“是的。”小
nán hái zhàn qǐ lái
男孩站起来，
jū le gè gōng qǐng
鞠了个躬，“请

ràng wǒ jìn qù ba
让我进去吧！”

lái ba wǒ ràng tā men fàng nǐ jìn
“来吧，我让他们放你进

lái gāo ěr jī shuō
来。”高尔基说。

guò le yí huì ér xiǎo nán hái zhàn zài
过了一会儿，小男孩站在

gāo ěr jī miàn qián le tā zǐ xì dǎ liang
高尔基面前了。他仔细打量

zhe gāo ěr jī liě kāi zuǐ xiào le rán hòu yòng
着高尔基，咧开嘴笑了，然后用

shǒu zhǐ le zhǐ shā fā shuō qǐng nín zuò zài
手指了指沙发，说：“请您坐在

zhè ér kàn bào zhǐ
这儿看报纸。”

gāo ěr jī ná le zhāng bào zhǐ àn
高尔基拿了张报纸，按

xiǎo nán hái de fēn fu zuò xià xiǎo nán hái bǎi
小男孩的吩咐坐下。小男孩摆

nòng le hěn jiǔ hěn jiǔ shuō yí qiè zhǔn bèi
弄了很久很久，说：“一切准备

tíng dang gāo ěr jī cè guò liǎn duì zhe tā
停当。”高尔基侧过脸，对着他

wēi xiào tū rán xiǎo nán hái wǎng dì shàng yí
微笑。突然，小男孩往地上一

zuò kū le qǐ lái
坐，哭了起来。

nǐ zěn me le gāo ěr jī bù zhī
“你怎么了？”高尔基不知

chū le shén me shì
出了什么事。

xiǎo nán hái kū zhe shuō wǒ bǎ jiāo
小男孩哭着说：“我把胶
juǎn wàng zài jiā lǐ le
卷忘在家里了。”

gāo ěr jī gǎn jǐn zhàn qǐ lái xiǎo nán
高尔基赶紧站起来，小男
hái yǐ jīng tí zhe zhào xiàng jī pǎo chū qù
孩已经提着照相机跑出去
le gāo ěr jī zǒu dào chuāng kǒu dà shēng hǎn
了。高尔基走到窗口，大声喊
dào hái zi huí lái wǒ gěi nǐ jiāo juǎn wǒ
道：“孩子，回来！我给你胶卷，我
zhè ér yǒu hěn duō jiāo juǎn
这儿有很多胶卷。”

xiǎo nán hái kū zhe tiào shàng yí liàng
小男孩哭着，跳上一辆
diàn chē diàn chē mǎ shàng kāi zǒu le
电车。电车马上开走了。

wǎn shàng mì shū gào sù gāo ěr
晚上，秘书告诉高尔
jī wài miàn lái le yí wèi shè yǐng shī
基：“外面来了一位摄影师。”

shì gè xiǎo nán hái ma gāo ěr jī
“是个小男孩吗？”高尔基
wèn
问。

bú shì shì yì jiā zá zhì shè de
“不是。是一家杂志社的

jì zhě
记者。”

qǐng zhuǎn gào tā wǒ hěn máng bú
“请转告他，我很忙。不

guò lái de rú guǒ shì gè xiǎo nán hái jiù yí
过，来的如果是个小男孩，就一

dìng ràng tā jìn lái
定让他进来。”

---

shè jī tū tiē fēn fu cè
摄 基 突 贴 吩 咐 侧

jiāo juǎn mì zá shè zhě
胶 卷 秘 杂 社 者

思考·练习

mò dú kè wén huí dá wèn tí
1 默读课文，回答问题。

(1) 小男孩是怎样来到高尔基面前的？

(2) 小男孩在给高尔基照相时，高尔基是怎么做、怎么说的？

dú jù zi huí dá kuò hào lǐ de wèn tí
2 读句子，回答括号里的问题。

(1) 小男孩摆弄了很久很久，说：“一切准备停当。”(小男孩摆弄了很久很久，说明了什么?)

(2)“请转告他，我很忙。不过，来的如果是个小男孩，就一定让他进来。”(高尔基为什么不见记者，却希望来的是小男孩?小男孩会再来吗，为什么?)

3 cóng kè wén zhōng zhǎo chū dài yǒu tū rán yì cí de jù zi dú yì dú zài shuō yí jù huà yòng shàng tū rán yì cí
从课文中找出带有“突然”一词的句子读一读，再说一句话，用上“突然”一词。

4 dú dú xiě xiě
读读写写。

突然 照相 贴在 吩咐 摄影师

侧过 胶卷 秘书 记者 杂志社

5 yǒu gǎn qíng de lǎng dú kè wén
有感情地朗读课文。

bù píng cháng de dàn gāo
4* 不平常的蛋糕

nián yuè sòng qìng líng tóng zhì fǎng wèn sī lǐ lán kǎ gāng huí dào shàng hǎi bú
1964年2月，宋庆龄同志访问斯里兰卡刚回到上海，不

gù lǚ tú pí láo lái dào zhōng guó fú lì huì
顾旅途疲劳，来到中国福利会

yòu ér yuán kàn wàng hái zi men
幼儿园看望孩子们。

hái zi men xiàng lín zhōng de xiǎo niǎo
孩子们像林中的小鸟

shì de zhāng kāi shuāng bì tóu rù sòng nǎi
似的，张开双臂投入宋奶

nai de huái bào
奶的怀抱。

sòng nǎi nai hé hái zi men yí kuài ér
宋奶奶和孩子们一块儿

zuò wán le yóu xì tā kàn le kàn dà jiā
做完了游戏。她看了看大家，
shuō hái zi men xiàn zài ràng wǒ men dōu lái
说：“孩子们，现在让我们都来
xǐ xi shǒu hǎo ma
洗洗手，好吗？”

hǎo dà jiā cù yōng zhe sòng nǎi nai
“好！”大家簇拥着宋奶奶，
wǎng shuǐ chí biān zǒu qù
往水池边走去。

hái zi men wéi zhe shuǐ lóng tóu xǐ
孩子们围着水龙头洗
shǒu shuǐ huā fēi jiàn xiào shēng bú duàn dà jiā
手，水花飞溅，笑声不断，大家
cuō ya xǐ ya kě rèn zhēn la
搓呀，洗呀，可认真啦！

xǐ hǎo le ma sòng nǎi nai wèn
“洗好了吗？”宋奶奶问。

xǐ hǎo la hái zi men qí shēng huí
“洗好啦！”孩子们齐声回
dá
答。

wǒ yào yí gè gè jiǎn chá de sòng
“我要一个个检查的！”宋
nǎi nai shuō wán jiù rèn zhēn de jiǎn chá qǐ
奶奶说完，就认真地检查起
lái yì shuāng shuāng pàng pàng de xiǎo shǒu jǔ
来。一双双胖胖的小手举
de gāo gāo de sòng nǎi nai yì biān jiǎn chá yì
得高高的，宋奶奶一边检查一

biān shǔ yí gè liǎng gè sān gè
边数："一个，两个，三个……"

jiǎn chá wán le shuāng xiǎo shǒu dōu
检查完了，23双小手都
xǐ de gān gān jìng jìng de
洗得干干净净的。

hái zi yí gòng gè guī guī jū jū
孩子一共23个，规规矩矩
de wéi zuò zài zhuō zi sì zhōu zhuō zi shàng
地围坐在桌子四周。桌子上
bǎi zhe yí gè tǐng dà de tǐng piào liang de yuán
摆着一个挺大的挺漂亮的圆
hé zi
盒子。

dà jiā dōu zài cāi zhè shì shén me
大家都在猜："这是什么
ne
呢？"

zhǔn shì wán jù dà gài shì yì hé
"准是玩具！""大概是一盒
huā shēng sòng nǎi nai sòng gěi dà jiā chī
花生，宋奶奶送给大家吃
de
的……"

tā men dōu méi cāi duì sòng nǎi nai wēi
他们都没猜对。宋奶奶微
xiào zhe jiē kāi hé gài ér hái zi men yǎn jing
笑着揭开盒盖儿，孩子们眼睛
dōu dèng yuán le jīng qí de jiào chū shēng
都瞪圆了，惊奇地叫出声

lái hā yuán lái shì dàn gāo zhè me dà
来："哈，原来是蛋糕！""这么大
de dàn gāo wǒ men hái cóng lái méi jiàn guò
的蛋糕！""我们还从来没见过
zhè me dà de dàn gāo
这么大的蛋糕！"

dà dàn gāo shàng hái yǒu yí gè nǎi yóu
大蛋糕上还有一个奶油
zuò de shòu táo kě hǎo kàn la
做的寿桃，可好看啦！

lǎo shī kàn le kàn sòng nǎi nai ná qǐ
老师看了看宋奶奶，拿起
dāo zi bǎ dàn gāo qiē chéng le sì dà kuài
刀子，把蛋糕切成了四大块。
tā tíng xià lái xiǎng zěn yàng néng ràng měi gè
她停下来，想怎样能让每个
hái zi dōu yǒu yí fèn ér
孩子都有一份儿。

sòng nǎi nai xiào zhe jiē guò dāo zi tā
宋奶奶笑着接过刀子。她
yǐ jīng jì suàn hǎo le hěn kuài jiù bǎ dàn gāo
已经计算好了，很快就把蛋糕
qiē chéng le kuài yí kuài yí kuài de dì
切成了24块，一块一块地递
gěi xiǎo péng yǒu hái bú zhù kǒu de shuō hái
给小朋友，还不住口地说："孩
zi men chī ba chī ba
子们，吃吧，吃吧！"

zuì hòu hái shèng yí kuài sòng nǎi nai
最后还剩一块，宋奶奶

gōng gōng jìng jìng de sòng gěi le lǎo shī
恭恭敬敬地送给了老师。

sòng nǎi nai qiáo zhe dà jiā chī de nà
宋奶奶瞧着大家吃得那
yàng xiāng tián gāo xìng jí le
样香甜，高兴极了。

zhè gè dàn gāo shì nǎ lǐ lái de
这个蛋糕是哪里来的
ne
呢？

yuán lái shì sòng nǎi nai guò shēng rì
原来是宋奶奶过生日，
sī lǐ lán kǎ de zǒng lǐ sòng gěi tā de
斯里兰卡的总理送给她的。
sòng nǎi nai shě bù de zì jǐ chī tā diàn jì
宋奶奶舍不得自己吃，她惦记
zhe hái zi men bù yuǎn wàn lǐ dài huí shàng
着孩子们，不远万里带回上
hǎi fēn gěi zǔ guó de hái zi men
海，分给祖国的孩子们。

sòng nǎi nai shí kè qiān guà zhe hái zi
宋奶奶时刻牵挂着孩子
men tā guān xīn zhe zǔ guó de wèi lái
们，她关心着祖国的未来！

思考·练习

yuè dú kè wén huí dá wèn tí
1 阅读课文，回答问题。

(1) 宋奶奶的蛋糕是什么样的？她是怎样把蛋

糕分给大家吃的？

(2) 宋奶奶把最后一块蛋糕恭恭敬敬地送给老师，这说明了什么？

(3) 为什么说宋奶奶送给孩子们的蛋糕是不平常的？

2 有感情地朗读课文。
yǒu gǎn qíng de lǎng dú kè wén

基础训练 1

字·词·句

zài pái liè shùn xù zhèng què de yī zǔ hòu
一 在排列顺序正确的一组后
miàn huà
面画“√”。

1 H I J L K O N M Q P R
S T （　　）

2 H J I K L M N Q P O R
S T （　　）

3 H I J K L M N O P Q R
S T （　　）

bǐ yì bǐ zài zǔ chéng cí yǔ xiě xià lái
二 比一比，再组成词语写下来。

知（　　）交（　　）分（　　）相（　　）
智（　　）胶（　　）吩（　　）像（　　）

题（　　）玻（　　）夜（　　）建（　　）
提（　　）波（　　）液（　　）健（　　）

xiě chū yì si xiāng jìn de cí yǔ
三 写出意思相近的词语。

首先——　　勤劳——　　珍惜——
突然——　　赶紧——　　肯定——

dú yì dú bǐ jiào měi zǔ liǎng jù huà yǒu
四　读一读，比较每组两句话有
shén me bù tóng
什么不同。

1　阳光洒满山村。

（温暖的）阳光洒满山村。

2　三个女同学看着，等着，心里祝愿着。

三个女同学（深情地）看着，等着，心里（默默地）祝愿着。

3　她们把鸡蛋放在地上。

她们把（一篮子）鸡蛋（轻轻）放在地上。

dú xià miàn de jù zi zhù yì mào hào hé
五　读下面的句子，注意冒号和
yǐn hào de yòng fǎ
引号的用法。

1　高尔基打开纸团，上面写着："亲爱的高尔基同志，我是一名少先队员。"

2　小男孩哭着说："我把胶卷忘在家里了。"

3　大家都在猜："这是什么呢？"

说话　续说故事

qǐng nǐ gēn jù kè wén《xiǎo shè yǐng shī》
请你根据课文《小摄影师》
jiǎng de gù shì, xiǎng yì xiǎng yǐ hòu kě néng huì
讲的故事，想一想以后可能会
fā shēng shén me shì qíng, xiǎng hǎo le jiǎng gěi dà
发生什么事情，想好了讲给大

jiā tīng
家听。

阅读

dú shū shí yù dào bù dǒng de cí yǔ kě
读书时，遇到不懂的词语，可
yǐ chá zì diǎn yuè dú xià biān de duǎn wén cóng
以查字典。阅读下边的短文。从
zì diǎn lǐ chá chū zhuàn kè yè yǐ jì rì rì
字典里查出“篆刻”“夜以继日”“日
fù yí rì děng cí yǔ zhōng dài diǎn zì de yì
复一日”等词语中带点字的意
si zài nòng dǒng zhè xiē cí yǔ xiǎng yì xiǎng qí
思，再弄懂这些词语；想一想齐
bái shí shì zěn yàng xué xí zhuàn kè de
白石是怎样学习篆刻的。

qí bái shí nián qīng de shí hòu ài hào zhuàn
齐白石年轻的时候爱好篆
kè yì tiān tā qù xiàng yí wèi lǎo zhuàn kè jiā
刻。一天，他去向一位老篆刻家
qiú jiào nà wèi lǎo zhuàn kè jiā shuō nǐ tiāo lái
求教。那位老篆刻家说：“你挑来
yí dàn shí tou kè le mó mó le kè děng dào zhè
一担石头，刻了磨，磨了刻，等到这
xiē shí tou dōu biàn chéng le ní jiāng nǐ de yìn
些石头都变成了泥浆，你的印
yě jiù kè hǎo le
也就刻好了。”
qí bái shí zhēn de tiāo lái yí dàn shí tou
齐白石真的挑来一担石头，

yè yǐ jì rì de
夜以继日地

liàn xí zhuàn kè tā
练习篆刻。他

yì biān kè yì biān
一边刻、一边

ná zhuàn kè míng jiā
拿篆刻名家

de zuò pǐn duì zhào
的作品对照、

zuó mo tā kè le
琢磨。他刻了

mó píng mó píng le
磨平，磨平了

zài kè shǒu shàng mó
再刻。手上磨

qǐ le pào réng rán zhuān xīn zhì zhì de kè gè bù
起了泡，仍然专心致志地刻个不

tíng rì fù yí rì nián fù yì nián shí tou yuè lái
停。日复一日，年复一年，石头越来

yuè shǎo dì shàng yū jī de ní
越少，地上淤积的泥

jiāng què yuè lái yuè hòu zuì hòu
浆却越来越厚。最后，

tǒng tǒng huà shí wéi ní le
统统“化石为泥”了。

作文　看图写话

zǐ xì guān chá tú huà qiāo qiāo huà xiǎng
仔细观察图画《悄悄话》，想

yì xiǎng tú shàng dōu yǒu shuí tā men zài gàn shén
一 想 图 上 都 有 谁，他 们 在 干 什

me xiǎo gū niang shǒu lǐ ná zhe shén me zài duì
么，小 姑 娘 手 里 拿 着 什 么，在 对

yé ye shuō xiē shén me qiāo qiāo huà xiǎng hǎo le
爷 爷 说 些 什 么 悄 悄 话。想 好 了

xiān shuō yì shuō zài xiě chéng yí duàn huà
先 说 一 说，再 写 成 一 段 话。

图·王有政

gǔ shī liǎng shǒu

5 古诗两首*

yè sù shān sì

夜宿山寺

wēi lóu gāo bǎi chǐ
危楼高百尺，

shǒu kě zhāi xīng chén
手可摘星辰。

bù gǎn gāo shēng yǔ
不敢高声语，

kǒng jīng tiān shàng rén
恐惊天上人。

* 本文作者分别是李白、王之涣。

dēng guàn què lóu

登鹳雀楼

bái rì yī shān jìn
白日依山尽，

huáng hé rù hǎi liú
黄河入海流。

yù qióng qiān lǐ mù
欲穷千里目，

gèng shàng yì céng lóu
更上一层楼。

shī sù sì wēi chén kǒng dēng yī
诗 宿 寺 危 辰 恐 登 依

思考·练习

dú le yè sù shān sì nǐ shì cóng nǎ xiē
1 读了《夜宿山寺》，你是从哪些
cí jù zhōng tǐ huì dào lóu hěn gāo de
词句中体会到楼很高的？

lián xì tú huà hé shī jù shuō shuo shī rén dēng
2 联系图画和诗句，说说诗人登
shàng guàn què lóu kàn dào de jǐng xiàng bìng shuō
上鹳雀楼看到的景象，并说
shuo yù qióng qiān lǐ mù gèng shàng yì céng
说“欲穷千里目，更上一层
lóu de yì si
楼”的意思。

jié hé shī jù shuō shuo dài diǎn de cí zài shī
3 结合诗句，说说带点的词在诗
jù zhōng de yì si
句中的意思。

(1) 危楼高百尺　　(2) 恐惊天上人

(3) 白日依山尽　　(4) 欲穷千里目

zài zhèng què de jiě shì hòu miàn huà
4 在正确的解释后面画“√”。

(1)“高百尺”的意思是：①有一百尺那么高；( ) ②说明楼很高很高。( )

(2)“千里目”的意思是：①眼睛能够看到很远很远的地方；( ) ②眼睛能够看到一千里远的地方。( )

bèi sòng kè wén mò xiě yè sù shān sì
5 背诵课文。默写《夜宿山寺》。

cuì niǎo

6 翠鸟*

cuì niǎo xǐ huān tíng zài shuǐ biān de wěi
　　翠鸟喜欢停在水边的苇

gǎn shàng yì shuāng hóng sè de xiǎo zhuǎ zi jǐn
秆上，一双红色的小爪子紧

jǐn de zhuā zhù wěi gǎn tā de yán sè fēi
紧地抓住苇秆。它的颜色非

cháng xiān yàn tóu shàng de yǔ máo xiàng gǎn lǎn
常鲜艳。头上的羽毛像橄榄

sè de tóu jīn xiù mǎn le cuì lǜ sè de huā
色的头巾，绣满了翠绿色的花

wén bèi shàng de yǔ máo xiàng qiǎn lǜ sè de
纹。背上的羽毛像浅绿色的

wài yī fù bù de yǔ máo xiàng chì hè sè de
外衣。腹部的羽毛像赤褐色的

chèn shān tā xiǎo qiǎo líng lóng yì shuāng tòu liàng
衬衫。它小巧玲珑，一双透亮

líng huó de yǎn jing xià miàn zhǎng zhe yì zhāng
灵活的眼睛下面，长着一张

yòu jiān yòu cháng de zuǐ
又尖又长的嘴。

cuì niǎo míng shēng qīng cuì ài tiē zhe
　　翠鸟鸣声清脆，爱贴着

shuǐ miàn jí fēi yì zhǎ yǎn yòu qīng qīng de
水面疾飞，一眨眼，又轻轻地

---

* 本文作者是菁莽，入选课文时文字有改动。

tíng zài wěi gǎn shàng le tā yí dòng bú dòng
停在苇秆上了。它一动不动
de zhù shì zhe fàn zhe wēi bō de shuǐ miàn děng
地注视着泛着微波的水面，等
dài yóu dào shuǐ miàn shàng lái de xiǎo yú
待游到水面上来的小鱼。

xiǎo yú qiāo qiāo de bǎ tóu lòu chū shuǐ
小鱼悄悄地把头露出水
miàn chuī le gè xiǎo pào pao jǐn guǎn tā zhè
面，吹了个小泡泡。尽管它这
yàng jī líng hái shì nán yǐ táo tuō cuì niǎo ruì
样机灵，还是难以逃脱翠鸟锐
lì de yǎn jing cuì niǎo dēng kāi wěi gǎn xiàng
利的眼睛。翠鸟蹬开苇秆，像
jiàn yí yàng fēi guò qù diāo qǐ xiǎo yú tiē zhe
箭一样飞过去，叼起小鱼，贴着
shuǐ miàn wǎng yuǎn chù fēi zǒu le zhǐ yǒu wěi
水面往远处飞走了。只有苇

gǎn hái zài yáo huàng shuǐ bō hái zài dàng yàng
杆还在摇晃，水波还在荡漾。

wǒ men zhēn xiǎng zhuō yì zhī cuì niǎo
我们真想捉一只翠鸟

lái sì yǎng lǎo yú wēng gēn wǒ men shuō hái
来饲养。老渔翁跟我们说："孩

zi men nǐ men zhī dào cuì niǎo de jiā zài nǎ
子们，你们知道翠鸟的家在哪

lǐ yán zhe xiǎo xī shàng qù zài nà dǒu qiào
里？沿着小溪上去，在那陡峭

de shí bì shàng dòng kǒu hěn xiǎo lǐ miàn hěn
的石壁上。洞口很小，里面很

shēn dǎi tā hěn bù róng yì ya wǒ men zhǐ
深。逮它很不容易呀！"我们只

hǎo dǎ xiāo le zhè gè xiǎng fǎ zài cuì niǎo
好打消了这个想法。在翠鸟

fēi lái de shí hòu wǒ men yuǎn yuǎn de kàn zhe
飞来的时候，我们远远地看着

tā nà měi lì de yǔ máo xī wàng tā zài wěi
它那美丽的羽毛，希望它在苇

gǎn shàng duō tíng yí huì ér
杆上多停一会儿。

---

cuì yàn fù chì hè chèn líng
翠 艳 腹 赤 褐 衬 灵

jí dài pào ruì sì dǎi xī
疾 待 泡 锐 饲 逮 希

思考·练习

mò dú kè wén huí dá wèn tí
1 默读课文，回答问题。

(1) 翠鸟各部分的羽毛是什么颜色、什么样子的？

(2) 翠鸟是怎样捉鱼的？翠鸟捉鱼的本领和它的外形有什么关系？

(3) “我们”为什么希望翠鸟在苇秆上多停一会儿？

dú du xià miàn de jù zi bìng xiǎng yì xiǎng kuò hào lǐ de cí yǔ de yì si
2 读读下面的句子，并想一想括号里的词语的意思。

翠鸟（蹬开）苇秆，（像箭一样）飞过去，（叼起）小鱼，（贴着）水面往远处飞走了。

dú dú xiě xiě bìng yòng chá zì diǎn hé lián xì shàng xià wén de fāng fǎ lǐ jiě dài diǎn de cí yǔ
3 读读写写，并用查字典和联系上下文的方法，理解带点的词语。

翠鸟　鲜艳　腹部　衬衫　灵活　赤褐色

疾飞　等待　锐利　饲养　希望　小泡泡

lǎng dú kè wén bèi sòng kè wén dì yī zhì dì sān zì rán duàn
4 朗读课文。背诵课文第一至第三自然段。

fù ráo de xī shā qún dǎo
7 富饶的西沙群岛

xī shā qún dǎo shì nán hǎi shàng de yì
西沙群岛是南海上的一
qún dǎo yǔ shì wǒ guó de hǎi fáng qián shào nà
群岛屿，是我国的海防前哨。那
lǐ fēng jǐng yōu měi wù chǎn fēng fù shì gè kě
里风景优美，物产丰富，是个可
ài de dì fāng
爱的地方。

xī shā qún dǎo yí dài hǎi shuǐ wǔ
西沙群岛一带海水五
guāng shí sè guī lì wú bǐ yǒu shēn lán de
光十色，瑰丽无比：有深蓝的，
dàn qīng de lǜ de dàn lǜ de xìng huáng de
淡青的，绿的，淡绿的，杏黄的。
yí kuài kuài yì tiáo tiáo xiāng hù jiāo cuò zhe
一块块，一条条，相互交错着。
yīn wèi hǎi dǐ gāo dī bù píng yǒu shān yá yǒu
因为海底高低不平，有山崖，有
xiá gǔ hǎi shuǐ yǒu shēn yǒu qiǎn cóng hǎi miàn
峡谷，海水有深有浅，从海面
kàn sè cǎi jiù bù tóng le
看，色彩就不同了。

hǎi dǐ de yán shí shàng zhǎng zhe gè
海底的岩石上长着各
zhǒng gè yàng de shān hú yǒu de xiàng zhàn kāi
种各样的珊瑚，有的像绽开

de huā duǒ yǒu de xiàng fēn zhī de lù jiǎo hǎi
的花朵，有的像分枝的鹿角。海
shēn dào chù dōu shì zài hǎi dǐ lǎn yáng yáng
参到处都是，在海底懒洋洋
de rú dòng dà lóng xiā quán shēn pī jiǎ huá
地蠕动。大龙虾全身披甲，划
guò lái huá guò qù yàng zi tǐng wēi wǔ
过来，划过去，样子挺威武。

yú chéng qún jié duì de zài shān hú
鱼成群结队地在珊瑚
cóng zhōng chuān lái chuān qù yǒu de quán shēn bù
丛中穿来穿去。有的全身布
mǎn cǎi sè de tiáo wén yǒu de tóu shàng zhǎng
满彩色的条纹；有的头上长
zhe yí cù hóng yīng hǎo kàn jí le yǒu de zhōu
着一簇红缨，好看极了；有的周
shēn xiàng chā zhe hǎo xiē shàn zi yóu dòng de
身像插着好些扇子，游动的

shí hòu piāo piāo yáo yáo yǒu de yǎn jing yuán liū
时候飘飘摇摇；有的眼睛圆溜
liū de shēn shàng zhǎng mǎn cì ér gǔ qǐ qì
溜的，身上长满刺儿，鼓起气
lái xiàng pí qiú yí yàng yuán gè zhǒng gè yàng
来像皮球一样圆。各种各样
de yú duō de shǔ bù qīng zhèng xiàng rén men
的鱼多得数不清。正像人们
shuō de nà yàng xī shā qún dǎo de hǎi lǐ yí
说的那样，西沙群岛的海里一
bàn shì shuǐ yí bàn shì yú
半是水，一半是鱼。

hǎi tān shàng yǒu jiǎn bù wán de měi lì
海滩上有拣不完的美丽
de bèi ké dà de xiǎo de yán sè bù yī xíng
的贝壳，大的，小的，颜色不一，形
zhuàng qiān qí bǎi guài zuì yǒu qù de yào suàn
状千奇百怪。最有趣的要算
hǎi guī le měi nián sì wǔ yuè jiān páng dà de
海龟了。每年四五月间，庞大的
hǎi guī chéng qún pá dào shā tān shàng lái chǎn
海龟成群爬到沙滩上来产
luǎn yú yè gōng rén bǎ hǎi guī fān yí gè
卵。渔业工人把海龟翻一个
shēn tā jiù sì jiǎo cháo tiān méi fǎ táo pǎo
身，它就四脚朝天，没法逃跑
le
了。

xī shā qún dǎo yě shì niǎo de tiān
西沙群岛也是鸟的天

xià dǎo shàng yǒu yí piàn piàn mào mì de shù
下。岛上有一片片茂密的树

lín shù lín lǐ qī xī zhe gè zhǒng hǎi niǎo
林，树林里栖息着各种海鸟。

biàn dì dōu shì niǎo dàn shù xià duī jī zhe yì
遍地都是鸟蛋。树下堆积着一

céng hòu hòu de niǎo fèn zhè shì fēi cháng bǎo
层厚厚的鸟粪，这是非常宝

guì de féi liào
贵的肥料。

dǎo shàng de yīng xióng ér nǚ rì yè
岛上的英雄儿女日夜
shǒu wèi zhe zǔ guó de nán dà mén suí zhe shè
守卫着祖国的南大门。随着社
huì zhǔ yì jiàn shè shì yè de fā zhǎn kě ài
会主义建设事业的发展，可爱
de xī shā qún dǎo bì jiāng biàn de gèng jiā
的西沙群岛必将变得更加
měi lì gèng jiā fù ráo
美丽，更加富饶。

---

fù ráo fáng shào fēng huá cì jiǎn
富 饶 防 哨 丰 划 刺 拣

qù jī liào yì yè bì jiāng
趣 积 料 义 业 必 将

思考·练习

mò dú kè wén huí dá wèn tí
1 默读课文，回答问题。

(1) 西沙群岛一带的海水都有哪些颜色？为什么会有这些颜色？

(2) 西沙群岛一带的海里有些什么？海滩上有些什么？海岛上又有些什么？

dú xià miàn de jù zi shuō shuo dài diǎn bù fèn
2 读下面的句子，说说带点部分

de yì si
的意思。

(1) 各种各样的鱼多得数不清。正像人们说的那样，西沙群岛的海里一半是水，一半是鱼。

(2) 西沙群岛也是鸟的天下。

(3) 岛上的英雄儿女日夜守卫着祖国的南大门。

dú dú xiě xiě
3 读读写写。

富饶　有趣　堆积　西沙群岛　风景优美

肥料　事业　必将　海防前哨　物产丰富

yǒu gǎn qíng de lǎng dú kè wén bèi sòng dì sì
4 有感情地朗读课文。背诵第四

zì rán duàn
自然段。

yuàn zi lǐ de qiāo qiāo huà

8* 院子里的悄悄话*

wǒ men yuàn lǐ yǒu jǐ kē huái shù měi
我们院里有几棵槐树。每
dāng yè shēn rén jìng qiū fēng chuī lái de shí
当夜深人静、秋风吹来的时
hòu lǎo huái shù hé xiǎo huái shù jiù qiāo qiāo de
候，老槐树和小槐树就悄悄地
shuō qǐ huà lái xiǎo huái shù xiàng suǒ yǒu cōng
说起话来。小槐树像所有聪
míng de hái zi nà yàng ài tí wèn tí
明的孩子那样爱提问题。

yí gè qíng lǎng de yè wǎn wēi fēng chuī
一个晴朗的夜晚，微风吹
fú zhe xiǎo huái shù huàng dòng zhe nǎo dài qiāo
拂着。小槐树晃动着脑袋，悄
qiāo de wèn yé ye nín duō dà nián suì
悄地问：“爷爷，您多大年岁
le
了？”

lǎo huái shù shā shā de shuō wǒ jīn
老槐树沙沙地说：“我今
nián suì le
年150岁了。”

suì nín jì cuò le ba xiǎo huái
“150岁，您记错了吧？”小槐

---

* 本文作者是树森、向红，入选课文时文字有改动。

shù yǒu diǎn ér bù xiāng xìn
树有点儿不相信。

"hái zi, wǒ kě bú huì jì cuò." lǎo
"孩子，我可不会记错。"老

huái shù huí dá shuō, "wǒ de jì xìng kě hǎo
槐树回答说，"我的记性可好

le. wǒ suī rán bú huì xiě zì, dàn shì zhǎng
了。我虽然不会写字，但是长

yí suì, jiù huà yí gè quān, zài zhǎng yí suì,
一岁，就画一个圈，再长一岁，

jiù zài yuán lái de quān wài zài huà yí gè
就在原来的圈外再画一个

quān. rén men bǎ wǒ huà de quān jiào nián lún,
圈。人们把我画的圈叫年轮，

lián shū shàng dōu shì zhè yàng xiě de."
连书上都是这样写的。"

xiǎo huái shù yòu wèn: "nín de tóu fà
小槐树又问："您的头发

wèi shén me nán miàn duō běi miàn shǎo ne?"
为什么南面多北面少呢？"

lǎo huái shù xiào xiào shuō: "zhè shì yīn
老槐树笑笑说："这是因

wèi nán miàn jiàn yáng guāng duō, zhī yè jiù zhǎng
为南面见阳光多，枝叶就长

de mào shèng; běi miàn jiàn yáng guāng shǎo, zhī yè
得茂盛；北面见阳光少，枝叶

yě jiù xī shǎo. suǒ yǐ, rén men zài yě wài mí
也就稀少。所以，人们在野外迷

shī fāng xiàng de shí hòu, yí kàn wǒ men de
失方向的时候，一看我们的

tóu jiù zhī dào nǎ shì nán nǎ shì běi le hái
头，就知道哪是南，哪是北了。孩
zi rén men bǎ wǒ men de tóu jiào shù guān nǐ
子，人们把我们的头叫树冠，你
zhī dào ma
知道吗？”

xiǎo huái shù diǎn diǎn tóu wǒ zhī dào
小槐树点点头：“我知道。
zhēn yǒu yì si zhè jiǎn zhí shì gè zhǐ nán zhēn
真有意思，这简直是个指南针
le yé ye wǒ zhǎng dà yě huì zhè yàng ma
了。爷爷，我长大也会这样吗？”

huì nǐ zhǎng dà yě huì zhè yàng bú
“会，你长大也会这样。不
guò xiàn zài rén men lǎo shì àn zhào zì jǐ de
过，现在人们老是按照自己的
xū yào gěi wǒ men xiū jiǎn zhī yè jīng guò tā
需要给我们修剪枝叶。经过他
men de xiū jiǎn wǒ men de mú yàng biàn le jiù
们的修剪，我们的模样变了，就
bú néng zhǐ shì fāng xiàng le dàn shì wǒ men
不能指示方向了。但是我们
xīn lǐ shì hěn qīng chǔ de yīn wèi nián lún yě
心里是很清楚的，因为年轮也
shì gè zhǔn què de zhǐ nán zhēn nián lún xī shū
是个准确的指南针，年轮稀疏
de yí miàn shì nán nián lún mì jí de yí miàn
的一面是南，年轮密集的一面
shì běi
是北。”

xiǎo huái shù tīng de chū shén le wǒ
小槐树听得出神了："我
zhēn bù zhī dào nián lún hái kě yǐ zhǐ shì fāng
真不知道年轮还可以指示方
xiàng yé ye wǒ yǒu nián lún ma
向。爷爷，我有年轮吗？"

lǎo huái shù shuō yǒu wa nǐ yě yǒu
老槐树说："有哇！你也有
nián lún bú guò nǐ de nián lún zhǐ yǒu qī
年轮。不过，你的年轮只有七
quān yīn wèi nǐ cái qī suì
圈，因为你才七岁。"

xiǎo huái shù yòu wèn yé ye nín zhè
小槐树又问："爷爷，您这
me dà nián suì guò qù de shì hái jì de
么大年岁，过去的事还记得
ma
吗？"

jì de jì de jiù lián zhè nián lǐ
"记得！记得！就连这150年里，
nǎ nián gān hàn nǎ nián duō yǔ nǎ nián lěng nǎ
哪年干旱，哪年多雨，哪年冷，哪
nián nuǎn wǒ dōu jì de qīng qīng chǔ chǔ
年暖，我都记得清清楚楚。"

shén me nián lǐ de shì dōu jì de
"什么？150年里的事都记得
qīng qīng chǔ chǔ nà nín shì zěn yàng jì lù
清清楚楚？那您是怎样记录
měi nián qì hòu de ne xiǎo huái shù hào qí
每年气候的呢？"小槐树好奇

de zhuī wèn
地追问。

lǎo huái shù xiàng sì zhōu kàn le yì
老槐树向四周看了一
yǎn shén mì de shuō wǒ men shì kào nián lún
眼，神秘地说：“我们是靠年轮
de kuān zhǎi biàn huà jì lù qì hòu de nǐ zhī
的宽窄变化记录气候的。你知
dào ma wēn nuǎn duō yǔ de nián fèn nián lún jiù
道吗？温暖多雨的年份，年轮就
zhǎng de kuān gān hàn dī wēn de nián fèn nián
长得宽，干旱低温的年份，年
lún jiù zhǎng de zhǎi
轮就长得窄。”

xiǎo huái shù gāo xìng de shuō méi xiǎng
小槐树高兴地说：“没想
dào nián lún hái zhè me yǒu yòng li
到年轮还这么有用哩！”

fēng tíng le lǎo huái shù hé xiǎo huái shù
风停了，老槐树和小槐树
yě tíng zhǐ le shuō huà yuàn zi lǐ jìng qiāo
也停止了说话。院子里静悄
qiāo de hǎo xiàng shén me shì yě méi fā shēng
悄的，好像什么事也没发生
guò
过。

思考·练习

yuè dú kè wén huí dá wèn tí
1 阅读课文，回答问题。

(1) 说说年轮是什么，树冠是什么。

(2) 树木是怎样靠年轮来记录年龄、指示方向和记录气候的？

fēn jué sè lǎng dú kè wén
2 分 角 色 朗 读 课 文 。

基础训练 2

字·词·句

yòng yīn xù chá zì fǎ cóng zì diǎn lǐ chá chū xià miàn de zì
一　用音序查字法，从字典里查出下面的字。

yāo　shēng　fǎng　chì　gèng　ruì
邀　牲　仿　赤　更　锐

xiě chū xià liè gè cí de fǎn yì cí
二　写出下列各词的反义词。

同意——　　微小——

仔细——　　轻松——

温暖——　　喜欢——

xuǎn zé hé shì de cí yǔ tián kòng
三　选择合适的词语填空。

高兴　愉快　快活

(1) 看到这风景如画的田野，我们的心情非常（　　）。

(2) 张小强被评为“三好”学生，同学们都为他（　　）。

(3) 小妹妹穿着花衣服，在屋里跳来跳去，像一只（　　）的小鸟。

cóng xué guò de liǎng zǔ kè wén zhōng zhǎo chū xiàng de jù zi dú yì dú
四　从学过的两组课文中找出“……像……”的句子，读一读。

听·写

tīng xiě xià miàn yí duàn huà
听 写 下 面 一 段 话。

太阳从东方升起，像一个红色的大圆盘，照亮了天空和大地。圆盘渐渐地升高了，越来越鲜艳，放出万道金光。我们的祖国，在阳光下，到处是光明，到处是温暖。

阅读

lǐ jiě cí yǔ de fāng fǎ hěn duō chú le
理 解 词 语 的 方 法 很 多，除 了
chá zì diǎn lián xì jù zi hé shàng xià wén yě shì
查 字 典，联 系 句 子 和 上 下 文 也 是
lǐ jiě cí yǔ de fāng fǎ yuè dú xià biān de duǎn
理 解 词 语 的 方 法。阅 读 下 边 的 短
wén lián xì xià wén shuō shuo xiān yàn de yì si
文，联 系 下 文，说 说“鲜 艳”的 意 思；
lián xì shàng wén shuō shuo fēng shōu de guǒ shí dōu
联 系 上 文，说 说“丰 收 的 果 实”都
yǒu nǎ xiē
有 哪 些。

qiū tiān xiàng yí wèi hé ǎi kě qīn de ā
秋 天 像 一 位 和 蔼 可 亲 的 阿
yí liǎn shàng zǒng shì dài zhe xìng fú de wēi xiào
姨，脸 上 总 是 带 着 幸 福 的 微 笑。
tā shǒu lǐ ná zhe yì zhī dà lán zi lǐ biān
她 手 里 拿 着 一 只 大 篮 子，里 边

zhuāng mǎn gè zhǒng xiān yàn de yán sè tā rì yè
装满各种鲜艳的颜色。她日夜
bù tíng de máng zhe wèi yuán yuán de dà píng guǒ
不停地忙着，为圆圆的大苹果
mǒ hóng liǎn dàn ér gěi xiāng pēn pēn de tián lí pū
抹红脸蛋儿，给香喷喷的甜梨扑
shàng jīn fěn gěi shì zi pàng hū hū de liǎn shàng
上金粉，给柿子胖乎乎的脸上
sǎ yì céng báo báo de bái shuāng bǎ lǜ sè de
撒一层薄薄的白霜，把绿色的
shù yè rǎn chéng jīn huáng xiān hóng
树叶染成金黄、鲜红……

yí zhèn liáng fēng chuī lái gāo shēng jiào
一阵凉风吹来，高声叫
zhe dōng yé ye lái le qiū ā yí nǐ zhǔn bèi
着：“冬爷爷来了。秋阿姨，你准备
zěn yàng yíng jiē dōng yé ye ne qiū ā yí
怎样迎接冬爷爷呢？”秋阿姨
shuō wǒ bǎ fēng shōu de guǒ shí zhuāng mǎn lán
说：“我把丰收的果实装满篮
zi sòng gěi dōng yé ye
子，送给冬爷爷。”

说话·作文

bǎ nǐ cān jiā de yí cì jiā wù láo dòng
把你参加的一次家务劳动
rú xǐ shǒu pà dǎ sǎo wèi shēng mǎi liáng mǎi cài
（如洗手帕、打扫卫生、买粮买菜）
xiān shuō yì shuō zài xiě chéng yí duàn huà xiě de
先说一说，再写成一段话。写的

shí hòu zhù yì yòng cí zhǔn què yǔ jù tōng shùn shū
时候，注意用词准确，语句通顺，书

xiě gōng zhěng bù xiě cuò bié zì
写工整，不写错别字。

pá tiān dū fēng

9 爬天都峰*

shǔ jià lǐ bà ba dài wǒ qù huáng

暑假里，爸爸带我去黄

shān pá tiān dū fēng

山，爬天都峰。

wǒ zhàn zài

我站在

tiān dū fēng jiǎo xià

天都峰脚下

tái tóu wàng ā fēng

抬头望：啊，峰

dǐng zhè me gāo zài

顶这么高，在

yún cǎi shàng miàn li

云彩上面哩！

wǒ pá de shàng qù

我爬得上去

ma zài kàn kan bǐ

吗？再看看笔

dǒu de shí jí shí jí biān shàng de tiě liàn

陡的石级，石级边上的铁链，

sì hū shì cóng tiān shàng guà xià lái de zhēn jiào

似乎是从天上挂下来的，真叫

rén fā chàn

人发颤！

---

* 本文作者是黄亦波，入选课文时文字有改动。

hū rán tīng dào bèi hòu yǒu rén jiào
忽然听到背后有人叫
wǒ xiǎo mèi mei nǐ yě lái pá tiān dū
我："小妹妹，你也来爬天都
fēng
峰？"

wǒ huí tóu yí kàn shì yí wèi bái fà
我回头一看，是一位白发
cāng cāng de lǎo yé ye nián jì bǐ wǒ yé
苍苍的老爷爷，年纪比我爷
ye hái dà li wǒ bú zài yóu yù diǎn diǎn
爷还大哩！我不再犹豫，点点
tóu yǎng qǐ liǎn wèn lǎo yé ye nín yě
头，仰起脸，问："老爷爷，您也
lái pá tiān dū fēng
来爬天都峰？"

lǎo yé ye yě diǎn diǎn tóu duì zán
老爷爷也点点头："对，咱
men yì qǐ pá ba
们一起爬吧！"

wǒ fèn lì xiàng fēng dǐng pá qù yí
我奋力向峰顶爬去，一
huì ér pān zhe tiě liàn shàng yí huì ér shǒu
会儿攀着铁链上，一会儿手
jiǎo bìng yòng xiàng shàng pá xiàng xiǎo hóu zi yí
脚并用向上爬，像小猴子一
gè yàng
个样……

pá ya pá wǒ hé lǎo yé ye hái yǒu
爬呀爬，我和老爷爷，还有

bà ba zhōng yú dōu pá shàng le tiān dū fēng
爸爸，终于都爬上了天都峰
dǐng
顶。

zài jì yú bèi qián bà ba gěi wǒ hé
在鲫鱼背前，爸爸给我和
lǎo yé ye zhào le yì zhāng xiàng liú zuò jì
老爷爷照了一张相，留作纪
niàn lǎo yé ye lā la wǒ de xiǎo biàn zi xiào
念。老爷爷拉拉我的小辫子，笑
hē hē de shuō xiè xiè nǐ la xiǎo mèi mei
呵呵地说：“谢谢你啦，小妹妹。
yào bú shì nǐ de yǒng qì gǔ wǔ wǒ wǒ hái
要不是你的勇气鼓舞我，我还
xià bù liǎo jué xīn li xiàn zài jū rán pá
下不了决心哩！现在居然爬
shàng lái le
上来了！”

bù lǎo yé ye wǒ shì kàn nín yě yào
“不，老爷爷，我是看您也要
pá tiān dū fēng cái yǒu yǒng qì xiàng shàng pá
爬天都峰，才有勇气向上爬
de wǒ yīng gāi xiè xiè nín
的！我应该谢谢您！”

bà ba tīng le xiào zhe shuō nǐ men
爸爸听了，笑着说：“你们
zhè yì lǎo yì xiǎo zhēn yǒu yì si dōu huì cóng
这一老一小真有意思，都会从
bié rén shēn shàng jí qǔ lì liàng
别人身上汲取力量！”

shǔ	jià	tiě	sì	hū	yóu	yù	fèn
暑	假	铁	似	乎	犹	豫	奋
pān	bìng	yú	biàn	wǔ	jué	jū	
攀	并	于	辫	舞	决	居	

思考·练习

mò dú kè wén huí dá wèn tí

1 默读课文，回答问题。

(1) 课文是怎样讲天都峰的“高”和“陡”的?

(2) “我”和老爷爷爬上天都峰以后，为什么要互相道谢?

dú yì dú shuō shuo yòng shàng kuò hào lǐ de cí yǔ hǎo zài nǎ lǐ

2 读一读，说说用上括号里的词语好在哪里。

(1) 我（奋力）向峰顶爬去。

(2) 爬呀爬，我和老爷爷，还有爸爸，（终于）都爬上了天都峰顶。

(3) “要不是你的勇气鼓舞我，我还下不了决心哩！现在（居然）爬上来了！”

dú xià miàn de jù zi zài yòng dài diǎn de cí

3 读下面的句子，再用带点的词

yǔ gè shuō yí jù huà
语各说一句话。

(1) 我回头一看，是一位白发苍苍的老爷爷，年纪比我爷爷还大哩！

(2) 我奋力向顶峰爬去，一会儿攀着铁链上，一会儿手脚并用向上爬……

4 dú dú xiě xiě, bìng yòng dài diǎn de cí yǔ zào jù.
读读写写，并用带点的词语造句。

暑假　似乎　犹豫　奋力　攀着　手脚并用

终于　纪念　鼓舞　决心　居然　白发苍苍

5 yǒu gǎn qíng de lǎng dú kè wén.
有感情地朗读课文。

10 yí dìng yào zhēng qì
10 一定要争气*

tóng dì zhōu shì wǒ guó zhù míng de shēng wù xué jiā. tā chū shēng zài zhè jiāng yín
童第周是我国著名的生物学家。他出生在浙江鄞

* 本文作者是张锲，入选课文时文字有改动。

xiàn yì gè piān pì de shān cūn lǐ yīn wèi jiā
县一个偏僻的山村里。因为家
lǐ qióng tā yí miàn bāng jiā lǐ zuò nóng huó
里穷,他一面帮家里做农活,
yí miàn gēn fù qīn niàn diǎn ér shū
一面跟父亲念点儿书。

tóng dì zhōu suì cái jìn zhōng xué
童第周17岁才进中学。
tā wén huà jī chǔ chà xué xí hěn chī lì dì
他文化基础差,学习很吃力,第
yī xué qī qī mò kǎo shì píng jūn chéng jì
一学期期末考试,平均成绩
cái fēn xiào zhǎng yào tā tuì xué jīng tā
才45分。校长要他退学,经他
zài sān qǐng qiú cái tóng yì ràng tā gēn bān shì
再三请求,才同意让他跟班试
dú yí gè xué qī
读一个学期。

dì èr xué qī tóng dì zhōu gèng jiā fā
第二学期,童第周更加发
fèn xué xí měi tiān tiān méi liàng tā jiù qiāo
愤学习。每天天没亮,他就悄
qiāo qǐ chuáng zài xiào yuán de lù dēng xià miàn
悄起床,在校园的路灯下面
dú wài yǔ yè lǐ tóng xué men dōu shuì le tā
读外语。夜里同学们都睡了,他
yòu dào lù dēng xià miàn qù kàn shū zhí bān lǎo
又到路灯下面去看书。值班老
shī fā xiàn le guān shàng lù dēng jiào tā jìn
师发现了,关上路灯,叫他进

wū shuì jiào tā
屋睡觉。他
chèn lǎo shī bú
趁老师不
zhù yì yòu liū
注意，又溜
dào cè suǒ wài
到厕所外
biān de lù dēng
边的路灯
xià miàn qù xué
下面去学
xí jīng guò bàn
习。经过半
nián de nǔ lì
年的努力，
tā zhōng yú gǎn
他终于赶
shàng lái le gè
上来了，各
kē chéng jì dōu
科成绩都
bú cuò shù xué
不错，数学
hái kǎo le
还考了 100
fēn tóng dì zhōu
分。童第周

kàn zhe chéng jì dān xīn xiǎng yí dìng yào
看着成绩单，心想：“一定要
zhēng qì wǒ bìng bù bǐ bié rén bèn bié rén
争气。我并不比别人笨。别人
néng bàn dào de shì wǒ jīng guò nǔ lì yí dìng
能办到的事，我经过努力，一定
yě néng bàn dào
也能办到。”

tóng dì zhōu suì de shí hòu dé dào
童第周28岁的时候，得到
qīn yǒu de zī zhù dào bǐ lì shí qù liú
亲友的资助，到比利时去留
xué gēn yí wèi zài ōu zhōu hěn yǒu míng de
学，跟一位在欧洲很有名的
shēng wù xué jiào shòu xué xí yì qǐ xué xí
生物学教授学习。一起学习
de hái yǒu bié de guó jiā de xué shēng jiù
的还有别的国家的学生。旧
zhōng guó pín qióng luò hòu zài shì jiè shàng méi
中国贫穷落后，在世界上没
yǒu dì wèi zhōng guó xué shēng zài guó wài bèi
有地位，中国学生在国外被
tóng xué qiáo bù qǐ tóng dì zhōu àn àn xià le
同学瞧不起。童第周暗暗下了
jué xīn yí dìng yào wèi zhōng guó rén zhēng qì
决心，一定要为中国人争气。

nà wèi jiào shòu yì zhí zài zuò yí xiàng
那位教授一直在做一项
shí yàn xū yào bǎ qīng wā luǎn de wài mó
实验，需要把青蛙卵的外膜

bāo diào zhè zhǒng shǒu shù fēi cháng nán zuò yào
剥掉。这种手术非常难做，要
yǒu shú liàn de jì qiǎo hái yào nài xīn hé xì
有熟练的技巧，还要耐心和细
xīn jiào shòu zì jǐ zuò le jǐ nián méi yǒu
心。教授自己做了几年，没有
chéng gōng tóng xué men shuí dōu bù gǎn cháng shì
成功；同学们谁都不敢尝试。
tóng dì zhōu bù shēng bù xiǎng de kè kǔ zuān
童第周不声不响地刻苦钻
yán tā bú pà shī bài zuò le yí biàn yòu yí
研，他不怕失败，做了一遍又一
biàn zhōng yú chéng gōng le jiào shòu xīng fèn de
遍，终于成功了。教授兴奋地
shuō tóng dì zhōu zhēn xíng
说：“童第周真行！”

zhè jiàn
这件
shì zhèn dòng le
事震动了
ōu zhōu de shēng
欧洲的生
wù xué jiè tóng
物学界。童
dì zhōu jī dòng
第周激动
de xiǎng yí dìng
地想：“一定

yào zhēng qì zhōng guó rén bìng bù bǐ wài guó
要争气。中国人并不比外国

rén bèn wài guó rén rèn wéi hěn nán bàn de
人笨。外国人认为很难办的

shì wǒ men zhōng guó rén jīng guò nǔ lì yě
事，我们中国人经过努力，也

yí dìng néng bàn dào
一定能办到。”

---

chǔ	qī	mò	kǎo	shì	jūn	jì	tuì
础	期	末	考	试	均	绩	退
fèn	nǔ	qiáo	yàn	xū	nài	yán	
愤	努	瞧	验	需	耐	研	

思考·练习

mò dú kè wén huí dá wèn tí
1 默读课文，回答问题。

(1) 课文有几处讲到“一定要争气”，都是在什么情况下讲的？

(2) 读了这篇课文，你受到什么启发？

dú yi dú huí dá kuò hào lǐ de wèn tí
2 读一读，回答括号里的问题。

(1) 校长要他退学，经他再三请求，才同意让他跟班试读一个学期。（“再三”是什么意思？他“再三请求”说明了什么？）

（2）第二学期，童第周更加发愤学习。（“发愤”的意思是什么？联系下文，说说童第周是怎样更加发愤学习的。）

（3）教授自己做了几年，没有成功；同学们谁都不敢尝试。童第周不声不响地刻苦钻研，他不怕失败，做了一遍又一遍，终于成功了。（童第周取得成功靠的是什么？）

3 dú dú xiě xiě bìng yòng dài diǎn de cí yǔ zào jù
读读写写，并用带点的词语造句。

基础 期末 考试 平均 成绩 退学 瞧不起

发愤 努力 实验 需要 耐心 钻研

4 lǎng dú kè wén
朗读课文。

11* máo yǐ shēng lì zhì zào qiáo 茅以升立志造桥*

máo yǐ shēng shì wǒ guó jiàn zào qiáo
茅以升是我国建造桥

---

* 本文作者是刘桂芳、王瑞起，入选课文时文字有改动。

liáng de zhuān jiā tā xiǎo shí hòu jiā zhù zài
梁的专家。他小时候，家住在
nán jīng lí tā jiā bù yuǎn yǒu yì tiáo hé jiào
南京。离他家不远有一条河，叫
qín huái hé měi nián duān wǔ jié qín huái hé
秦淮河。每年端午节，秦淮河
shàng dōu yào jǔ xíng lóng chuán bǐ sài
上都要举行龙船比赛。

dào le zhè yì tiān liǎng àn rén shān rén
到了这一天，两岸人山人
hǎi hé miàn shàng de lóng chuán dōu pī hóng guà
海。河面上的龙船都披红挂
lǜ chuán shàng àn shàng luó gǔ xuān tiān rè nào
绿，船上岸上锣鼓喧天，热闹
de jǐng xiàng shí zài ràng rén xīng fèn máo yǐ
的景象实在让人兴奋。茅以
shēng gēn suǒ yǒu de xiǎo huǒ bàn yí yàng měi
升跟所有的小伙伴一样，每
nián duān wǔ jié hái méi dào jiù pàn wàng zhe
年端午节还没到，就盼望着
kàn lóng chuán bǐ sài le
看龙船比赛了。

kě shì yǒu yì nián guò duān wǔ jié máo
可是有一年过端午节，茅
yǐ shēng bìng dǎo le xiǎo huǒ bàn men dōu qù
以升病倒了。小伙伴们都去
kàn lóng chuán bǐ sài máo yǐ shēng yí gè rén
看龙船比赛，茅以升一个人
tǎng zài chuáng shàng zhǐ pàn wàng xiǎo huǒ bàn zǎo
躺在床上，只盼望小伙伴早

diǎn ér huí lái bǎ lóng chuán bǐ sài de qíng
点儿回来，把龙船比赛的情
jǐng shuō gěi tā tīng
景说给他听。

xiǎo huǒ bàn men zhí dào bàng wǎn cái huí
小伙伴们直到傍晚才回
lái máo yǐ shēng lián máng zuò qǐ lái shuō kuài
来。茅以升连忙坐起来，说："快
gěi wǒ jiǎng jiǎng jīn tiān de chǎng miàn yǒu duō
给我讲讲，今天的场面有多
rè nào
热闹？"

xiǎo huǒ bàn men dī zhe tóu lǎo bàn tiān
小伙伴们低着头，老半天

cái shuō chū yí jù huà lái qín huái hé shàng
才说出一句话来："秦淮河上

chū shì le
出事了！"

chū le shén me shì máo yǐ shēng chī
"出了什么事？"茅以升吃

le yì jīng
了一惊。

kàn rè nào de rén tài duō bǎ hé
"看热闹的人太多，把河

shàng de nà zuò qiáo yā tā le hǎo duō rén
上的那座桥压塌了，好多人

diào jìn le hé lǐ
掉进了河里！"

tīng le zhè gè bú xìng de xiāo xi máo
听了这个不幸的消息，茅

yǐ shēng fēi cháng nán guò tā fǎng fú kàn dào
以升非常难过。他仿佛看到

xǔ duō rén fēn fēn luò shuǐ nán de nǚ de
许多人纷纷落水，男的女的

lǎo de xiǎo de jǐng xiàng qī cǎn jí le bìng
老的小的，景象凄惨极了。病

hǎo le tā yí gè rén pǎo dào qín huái hé
好了，他一个人跑到秦淮河

biān mò mò de kàn zhe duàn qiáo fā dāi tā
边，默默地看着断桥发呆。他

xiǎng wǒ zhǎng dà yí dìng yào zuò yí gè zào
想：我长大一定要做一个造

qiáo de rén zào de dà qiáo jiē jiē shí shí yǒng
桥的人，造的大桥结结实实，永

yuǎn bú huì dǎo tā
远不会倒塌！

cóng cǐ yǐ
从此以

hòu máo yǐ shēng tè
后，茅以升特

bié liú xīn gè shì
别留心各式

gè yàng de qiáo píng
各样的桥，平

de gǒng de mù bǎn
的，拱的，木板

de shí tou de chū
的，石头的。出

mén de shí hòu bù
门的时候，不

guǎn pèng shàng shén
管碰上什

me yàng de qiáo tā
么样的桥，他

dōu yào shàng xià dǎ
都要上下打

liang zǐ xì guān
量，仔细观

chá huí dào jiā lǐ
察，回到家里

jiù bǎ kàn dào de
就把看到的

qiáo huà xià lái kàn shū kàn bào de shí hòu yù
桥 画 下 来。看 书 看 报 的 时 候，遇
dào yǒu guān qiáo de zī liào tā dōu xì xīn shōu
到 有 关 桥 的 资 料，他 都 细 心 收
jí qǐ lái tiān cháng rì jiǔ tā jī lěi le
集 起 来。天 长 日 久，他 积 累 了
hěn duō zào qiáo de zhī shi tā qín fèn xué
很 多 造 桥 的 知 识。他 勤 奋 学
xí kè kǔ zuān yán jīng guò cháng qī de nǔ
习，刻 苦 钻 研，经 过 长 期 的 努
lì zhōng yú shí xiàn le zì jǐ de lǐ xiǎng
力，终 于 实 现 了 自 己 的 理 想，
chéng wéi yí gè jiàn zào qiáo liáng de zhuān jiā
成 为 一 个 建 造 桥 梁 的 专 家。

思考·练习

yuè dú kè wén huí dá wèn tí
1 阅 读 课 文，回 答 问 题。

(1) 什么事使茅以升下定决心，长大做一个造桥的人？

(2) 茅以升立下造桥的志向以后，是怎么做的？结果怎样？

lǎng dú kè wén
2 朗 读 课 文。

基础训练3

字·词·句

dú xià biān de cí yǔ zhù yì měi zǔ lǐ de
一　读下边的词语，注意每组里的
liǎng ge cí yǔ de dú yīn xiě fǎ yì si de
两个词语的读音、写法、意思的
bù tóng
不同。

shí jí　yóu yù　fèn lì　shí yàn　zī zhù
石级　犹豫　奋力　实验　资助
shì jì　yǒu yǔ　fēn lí　shì yǎn　zì zhǔ
世纪　有雨　分离　试演　自主

xué xí yòng bù shǒu chá zì fǎ chá zì diǎn
二　学习用部首查字法查字典。

yù dào bú rèn shi de zì kě yǐ yòng
遇到不认识的字，可以用
bù shǒu chá zì fǎ chá zì diǎn xiān què dìng
部首查字法查字典。先确定
yào chá zì de bù shǒu zài zì diǎn de bù
要查字的部首，在字典的“部
shǒu mù lù lǐ zhǎo dào zhè gè zì de bù
首目录”里找到这个字的部
shǒu zài chá zì biǎo huò jiǎn zì biǎo de
首在“查字表”（或“检字表”）的

nǎ yí yè rán hòu shǔ yi shǔ yào chá de zì
哪一页；然后数一数要查的字

chú qù bù shǒu yǒu jǐ huà zài gēn jù bǐ huà
除去部首有几画，再根据笔画

shù zài chá zì biǎo lǐ chá zhǎo zhè gè zì zài
数在“查字表”里查找这个字在

zhèng wén de nǎ yí yè gēn jù yòu biān de
正文的哪一页；根据右边的

yè mǎ fān dào zì diǎn de zhèng wén jiù kě
页码，翻到字典的正文，就可

yǐ chá dào zhè gè zì le
以查到这个字了。

1 cóng zì diǎn de bù shǒu mù lù zhōng chá chū xià miàn de zì de bù shǒu zài chá zì biǎo huò jiǎn zì biǎo de nǎ yí yè xiě zài kuò hào lǐ
从字典的“部首目录”中查出下面的字的部首在“查字表”（或“检字表”）的哪一页，写在括号里。

哥（　　）柴（　　）达（　　）单（　　）

彻（　　）颜（　　）幕（　　）围（　　）

2 yòng bù shǒu chá zì fǎ chá xià miàn de zì bìng tián biǎo
用部首查字法，查下面的字，并填表。

要查的字	部首	除去部首有几画	在字典的哪一页	读音
捧				
怜				
庭				
良				

bǐ yì bǐ zài zǔ chéng cí yǔ
三　比一比，再组成词语。

式（　　）衣（　　）辫（　　）秘（　　）
试（　　）依（　　）辩（　　）密（　　）

画（　　）午（　　）急（　　）奋（　　）
划（　　）舞（　　）疾（　　）愤（　　）

shuō shuo xià biān měi zǔ jù zi zhōng dài diǎn cí de yì si yǒu shén me bù tóng
四　说说下边每组句子中带点词的意思有什么不同。

1　尽管小鱼非常机灵，还是难以逃脱翠鸟锐利的眼睛。

这把小刀非常锐利。

2　这件事震动了欧洲的生物学界。

春雷震动大地。

3　盖房，一定要把基础打牢固。

他文化基础差，学习很吃力。

dú yì dú zài chāo xiě jù zi
五　读一读，再抄写句子。

1　著　著名　童第周是我国著名的生物学家。

2　努　努力　别人能办到的事，我经过努力，一定也能办到。

3　尊　尊敬　同学们都非常尊敬和爱戴王老师。

说话

guān chá yí gè xiǎo wù jiàn wén jù hé wán
观察一个小物件（文具盒、玩
jù chǔ xù guàn biāo běn děng shuō yí duàn huà yāo
具、储蓄罐、标本等），说一段话。要
qiú àn yí dìng shùn xù guān chá zhuā zhù xiǎo wù
求按一定顺序观察，抓住小物
jiàn de tè diǎn shuō chū tā de xíng zhuàng yán sè
件的特点，说出它的形状、颜色、
yòng tú děng kě yǐ shì dàng zhǎn kāi xiǎng xiàng
用途等，可以适当展开想象。

阅读

yuè dú xià biān de duǎn wén tōng guò chá zì
阅读下边的短文。通过查字
diǎn lǐ jiě dài diǎn de cí de yì si zài lián xì
典，理解带点的词的意思；再联系
xià wén shuō shuo duǎn wén shì zěn yàng jiǎng xiǎo nào
下文，说说短文是怎样讲小闹
zhōng zhì zuò jīng qiǎo zǒu shí zhǔn què de
钟“制作精巧，走时准确”的。

wǒ jiā yǒu yì zhī xiǎo nào zhōng zhì zuò jīng
我家有一只小闹钟，制作精
qiǎo zǒu shí zhǔn què tā nà qiǎn lǜ sè zhōng ké
巧，走时准确。它那浅绿色钟壳
de zhèng miàn xiāng zhe yì quān měi lì de jīn biān
的正面，镶着一圈美丽的金边。
yuán yuán de zhōng pán shàng zhào zhe yí kuài tòu
圆圆的钟盘上，罩着一块透
míng de bō li kàn shàng qù duō me xiàng nà shí
明的玻璃，看上去，多么像那十
wǔ de yuè liang gè míng xīng bān de jì shí kè
五的月亮！12个明星般的计时刻
dù qiàn zài tiān lán sè de zhōng miàn shàng jīn guāng
度，嵌在天蓝色的钟面上，金光
shǎn shǎn zhēn jiào rén xǐ ài biǎo zhēn dī dā dī
闪闪，真叫人喜爱！表针“嘀嗒、嘀
dā yí kè bù tíng de zǒu zhe měi dāng shōu yīn jī
嗒”一刻不停地走着。每当收音机
lǐ xiǎng qǐ bào shí de yīn xiǎng shí fēn zhēn zǒng
里响起报时的音响时，分针总

shì zhǐ zài jì shí jīn xīng shàng
是指在计时金星上。

作文

xué xiě tōng zhī
学写通知

tōng zhī
通 知

míng tiān xià wǔ liǎng diǎn zài běn xiào lǐ
明天下午两点，在本校礼

táng fàng yìng guān yú rén zào wèi xīng de kē jiào
堂放映关于人造卫星的科教

diàn yǐng qǐng gè zhōng duì duì yuán zhǔn shí zhěng
电影，请各中队队员准时整

duì jìn rù lǐ táng
队进入礼堂。

shào xiān duì dà duì bù
少先队大队部

yuè rì
3月7日

xiě tōng zhī xiān zài dì yī háng zhōng jiān
写通知，先在第一行中间

xiě shàng tōng zhī èr zì rú guǒ shì qíng jǐn jí
写上“通知”二字，如果事情紧急，

jiù xiě jǐn jí tōng zhī rán hòu cóng dì èr háng
就写“紧急通知”。然后，从第二行

kòng liǎng gé de dì fāng kāi shǐ xiě tōng zhī de
空两格的地方开始写通知的

zhèng wén zhèng wén yào xiě qīng chǔ zài shén me shí
正文。正文要写清楚在什么时

jiān shén me dì diǎn yǒu shén me shì qíng qǐng shuí
间，什么地点，有什么事情，请谁

cān jiā yīng gāi zhù yì shén me děng zuì hòu zài
参加，应该注意什么等。最后，在

zhèng wén de yòu xià fāng xiě shàng fā tōng zhī de
正文的右下方写上发通知的

dān wèi de míng chēng hé rì qī
单位的名称和日期。

qǐng nǐ àn zhào tōng zhī de gé shì tì jiào
请你按照通知的格式，替教

dǎo chù xiě yí gè jǔ xíng quán xiào qiū jì yùn dòng
导处写一个举行全校秋季运动

huì de tōng zhī
会的通知。

12 瀑布*

pù bù

hái méi kàn jiàn pù bù
还没看见瀑布，

xiān tīng jiàn pù bù de shēng yīn
先听见瀑布的声音，

hǎo xiàng dié dié de làng yǒng shàng àn tān
好像叠叠的浪涌上岸滩，

yòu xiàng zhèn zhèn de fēng chuī guò sōng lín
又像阵阵的风吹过松林。

* 本文作者是叶圣陶。

shān lù hū rán yì zhuǎn
山路忽然一转，

ā wàng jiàn le pù bù de quán shēn
啊！望见了瀑布的全身！

zhè bān jǐng xiàng méi fǎ bǐ yù
这般景象没法比喻，

qiān zhàng qīng shān chèn zhe yí dào bái yín
千丈青山衬着一道白银。

zhàn zài pù bù jiǎo xià yǎng wàng
站在瀑布脚下仰望。

hǎo wěi dà ya yí zuò zhēn zhū de píng
好伟大呀，一座珍珠的屏！

shí shí lái yí zhèn fēng
时时来一阵风，

bǎ tā chuī de rú yān rú wù rú chén
把它吹得如烟，如雾，如尘。

---

dié yǒng tān zhèn yù zhàng wěi píng yān
叠涌滩阵喻丈伟屏烟

思考·练习

mò dú kè wén huí dá wèn tí
1 默读课文，回答问题。

(1) 说说课文里的哪些句子是讲瀑布声音的，哪些句子是讲瀑布样子的。

(2) 作者是按什么顺序观察瀑布的？

gēn jù kè wén zhōng de yǔ jù tián kòng zài dú yì dú xiǎng xiǎng zhè yàng xiě de hǎo chù
2 根据课文中的语句填空，再读一读，想想这样写的好处。

(1) 瀑布的声音像________________

(2) 瀑布的全身像________________

(3) 站在瀑布脚下仰望，瀑布像________________

(4) 来一阵风的时候，瀑布被吹得________________

dú dú xiě xiě bìng lǐ jiě dài diǎn de cí yǔ
3 读读写写，并理解带点的词语。

涌　叠叠　岸滩　阵阵　比喻

屏　千丈　伟大　如烟

yǒu gǎn qíng de lǎng dú kè wén bèi sòng kè wén
4 有感情地朗读课文。背诵课文。

měi lì de xiǎo xīng ān lǐng

13 美丽的小兴安岭

wǒ guó dōng běi de xiǎo xīng ān lǐng yǒu
我国东北的小兴安岭，有
shǔ bù qīng de hóng sōng bái huà lì shù
数不清的红松、白桦、栎树……
jǐ bǎi lǐ lián chéng yí piàn jiù xiàng lǜ sè
几百里连成一片，就像绿色
de hǎi yáng
的海洋。

chūn tiān shù mù chōu chū xīn de zhī
春天，树木抽出新的枝
tiáo zhǎng chū nèn lǜ de yè zi shān shàng de
条，长出嫩绿的叶子。山上的
jī xuě róng huà le xuě shuǐ huì chéng xiǎo xī
积雪融化了，雪水汇成小溪，

cóng cóng de liú zhe xiǎo lù zài xī biān sàn
淙淙地流着。小鹿在溪边散
bù tā men yǒu de fǔ xià shēn zi hē shuǐ yǒu
步。它们有的俯下身子喝水，有
de cè zhe nǎo dài xīn shǎng zì jǐ yìng zài
的侧着脑袋欣赏自己映在
shuǐ lǐ de yǐng zi xī lǐ zhǎng mǎn le chūn
水里的影子。溪里涨满了春
shuǐ yì gēn gēn yuán mù suí zhe liú shuǐ wǎng
水。一根根原木随着流水往
qián tǎng xiàng yì zhī jiàn duì zài qián jìn
前淌，像一支舰队在前进。

xià tiān shù mù zhǎng de cōng cōng lóng
夏天，树木长得葱葱茏
lóng mì mì céng céng de zhī yè bǎ sēn lín
茏，密密层层的枝叶把森林
fēng de yán yán shí shí de dǎng zhù le rén men
封得严严实实的，挡住了人们

de shì xiàn zhē zhù le lán lán de tiān kōng zǎo
的视线，遮住了蓝蓝的天空。早

chén wù cóng shān gǔ lǐ shēng qǐ lái zhěng gè
晨，雾从山谷里升起来，整个

sēn lín jìn zài rǔ bái sè de nóng wù lǐ tài
森林浸在乳白色的浓雾里。太

yáng chū lái le qiān wàn lǚ xiàng lì jiàn yí
阳出来了，千万缕像利箭一

yàng de jīn guāng chuān guò shù shāo zhào shè zài
样的金光，穿过树梢，照射在

gōng rén sù shè mén qián de cǎo dì shàng cǎo
工人宿舍门前的草地上。草

dì shàng shèng kāi zhe gè zhǒng gè yàng de yě
地上盛开着各种各样的野

huā hóng de bái de huáng de zǐ de zhēn xiàng
花，红的、白的、黄的、紫的，真像

gè měi lì de dà huā tán
个美丽的大花坛。

qiū tiān bái huà hé lì shù de yè zi
秋天，白桦和栎树的叶子

biàn huáng le sōng bǎi xiǎn de gèng cāng cuì le
变黄了，松柏显得更苍翠了。

qiū fēng chuī lái luò yè zài lín jiān fēi wǔ zhè
秋风吹来，落叶在林间飞舞。这

shí hòu sēn lín xiàng rén men xiàn chū le suān
时候，森林向人们献出了酸

tián kě kǒu de shān pú tao yòu xiāng yòu cuì
甜可口的山葡萄，又香又脆

de zhēn zi xiān nèn de mó gu hé mù ěr hái
的榛子，鲜嫩的蘑菇和木耳，还

yǒu rén shēn děng míng guì yào cái
有人参等名贵药材。

dōng tiān xuě huā zài kōng zhōng fēi wǔ
冬天，雪花在空中飞舞。

shù shàng jī mǎn le bái xuě dì shàng de xuě
树上积满了白雪。地上的雪

hòu hòu de yòu sōng yòu ruǎn cháng cháng mò guò
厚厚的，又松又软，常常没过

xī gài xī běi fēng hū hū de guā guò shù
膝盖。西北风呼呼地刮过树

shāo zǐ diāo hé hēi xióng bù dé bù duǒ jìn
梢。紫貂和黑熊不得不躲进

gè zì de dòng lǐ zǐ diāo bǔ dào yì zhī yě
各自的洞里。紫貂捕到一只野

tù dàng měi cān hēi xióng zhǐ hǎo yòng shé tou
兔当美餐，黑熊只好用舌头

tiǎn zhe zì jǐ yòu féi yòu hòu de jiǎo zhǎng
舔着自己又肥又厚的脚掌。
sōng shǔ kào qiū tiān shōu cáng zài shù dòng lǐ
松鼠靠秋天收藏在树洞里
de sōng zǐ guò rì zi yǒu shí hòu hái dào zhī
的松子过日子，有时候还到枝
tóu sàn san bù kàn kan chūn tiān shì bú shì kuài
头散散步，看看春天是不是快
yào lái lín
要来临。

xiǎo xīng ān lǐng yì nián sì jì jǐng sè
小兴安岭一年四季景色
yòu rén shì yí zuò měi lì de dà huā yuán yě
诱人，是一座美丽的大花园，也
shì yí zuò jù dà de bǎo kù
是一座巨大的宝库。

chōu nèn lù yìng fēng yán nóng shè
抽 嫩 鹿 映 封 严 浓 舍

xiàn suān guì xī hū zhǎng lín
献 酸 贵 膝 呼 掌 临

思考·练习

mò dú kè wén huí dá wèn tí
1 默 读 课 文，回 答 问 题。

(1) 小兴安岭的树木一年四季各有什么特点？

(2) 为什么说小兴安岭是一座美丽的大花园，也是一座巨大的宝库？

shuō shuo kè wén miáo xiě de jǐng wù
2 说 说 课 文 描 写 的 景 物。

季节	描写的景物
春	树木 积雪 小溪 小鹿 原木
夏	
秋	
冬	

shì yòng bié de cí yǔ tì huàn dài diǎn de cí
3 试用别的词语替换带点的词

yǔ bìng shuō shuo yuán lái de cí yǔ hǎo zài
语，并说说原来的词语好在

nǎ lǐ
哪里。

(1) 树木抽出新的枝条。

(2) 密密层层的枝叶把森林封得严严实实的。

(3) 落叶在林间飞舞。

(4) 西北风呼呼地刮过树梢。

dú dú xiě xiě
4 读读写写。

抽出　嫩绿　宿舍　映在　浓雾　严严实实

献出　名贵　膝盖　脚掌　来临　酸甜可口

lǎng dú kè wén cóng miáo xiě chūn xià qiū dōng
5 朗读课文。从描写春、夏、秋、冬

jǐng sè de duàn luò zhōng xuǎn yí duàn bèi xià
景色的段落中，选一段背下

lái
来。

dà hǎi de gē
14 大海的歌*

zǎo chén wǒ men yì qǐ chuáng jiù dé
早晨，我们一起床就得

* 本文作者是刘白羽。

dào tōng zhī jīn tiān yǒu chuán chū hǎi wǒ men
到通知，今天有船出海。我们
mǎ shàng xiàng mǎ tóu zǒu qù zhǎn xiàn zài wǒ
马上向码头走去。展现在我
yǎn qián de shì lán tiān bái yún bì lǜ de dà
眼前的是蓝天，白云，碧绿的大
hǎi zhèng cóng dōng fāng shēng qǐ de zhāo yáng
海，正从东方升起的朝阳。

wǒ men dēng shàng yì zhī qiǎn lán sè
我们登上一只浅蓝色
de hǎi lún mǎ dá fā dòng le hǎi lún suí zhe
的海轮。马达发动了，海轮随着
hǎi bō dàng yàng zài hǎi gǎng lǐ jìng jìng de
海波荡漾，在海港里静静地
háng xíng chuán zhǎng yāo wǒ men dào jià shǐ shì
航行。船长邀我们到驾驶室

liào wàng zhǐ jiàn hǎi gǎng liǎng àn gāng tiě jù
瞭望。只见海港两岸，钢铁巨
rén yì bān de zhuāng xiè diào chē yǒu rú mì
人一般的装卸吊车有如密
lín shǔ bú jìn de jù bì shàng xià huī dòng
林，数不尽的巨臂上下挥动；
piāo zhe gè sè qí zhì de hǎi lún yǒu rú wèi
飘着各色旗帜的海轮有如卫
duì mì mì céng céng de pái liè zài mǎ tóu
队，密密层层地排列在码头
liǎng biān wǒ men de hǎi lún shǐ chū le hǎi
两边。我们的海轮驶出了海
gǎng shǐ jìn dà hǎi
港，驶进大海。

tài yáng shēng gāo le yáng guāng zài hǎi
太阳升高了，阳光在海
bō shàng shǎn shuò zhe diǎn diǎn jīn guāng wǒ zǒu
波上闪烁着点点金光。我走
xiàng chuán tóu yíng zhe měng liè de hǎi fēng wàng
向船头，迎着猛烈的海风，望
zhe wú biān wú jì de dà hǎi chuán tóu fēi
着无边无际的大海。船头飞
jiàn qǐ lái de làng huā chàng zhe huān lè de
溅起来的浪花，唱着欢乐的
gē
歌。

chuán zài dà hǎi zhōng háng xíng hǎi de
船在大海中航行。海的
yán sè yóu lǜ biàn lán yóu lán biàn chéng mò
颜色由绿变蓝，由蓝变成墨
lán zhè shí hòu yǒu rén zǒu jìn wǒ shēn biān zhǐ
蓝。这时候，有人走近我身边，指
zhe qián fāng jiào wǒ kàn wǒ jí mù-liào wàng
着前方叫我看。我极目瞭望：
zài hǎi píng xiàn shàng yì céng qiǎn hè sè de
在海平线上，一层浅褐色的
wù qì méng méng lóng lóng xiàng shì yǒu yí zuò
雾气，朦朦胧胧，像是有一座
chéng bǎo sǒng lì zài hǎi tiān zhī jiān tā gào
城堡耸立在海天之间。他告
sù wǒ nà shì zán men zì jǐ de shí yóu zuān
诉我，那是咱们自己的石油钻
tàn chuán
探船。

zán men zì jǐ de shí yóu zuān tàn
咱们自己的石油钻探

chuán à wǒ fǎng fú tīng jiàn dà hǎi zhèng zài
船！啊，我仿佛听见大海正在

chàng zhe yì qǔ xīn gē
唱着一曲新歌。

---

tōng suí gǎng háng liào diào huī
通 随 港 航 瞭 吊 挥

qí zhì měng sǒng tàn fú qǔ
旗 帜 猛 耸 探 佛 曲

思考·练习

mò dú kè wén huí dá wèn tí
1 默读课文，回答问题。

(1)“我”在码头上、海港里、大海中都看到了什么？

(2)“我仿佛听见大海正在唱着一曲新歌。”说说这句话的意思。

dú yi dú bǐ yi bǐ xià miàn liǎng gè jù zi
2 读一读，比一比，下面两个句子

yǒu shén me bù tóng
有什么不同。

只见海港两岸，装卸吊车的巨臂上下挥动，海轮排列在码头两边。

只见海港两岸，钢铁巨人一般的装卸吊车有如密林，数不尽的巨臂上下挥动；飘着各色旗帜的海轮有如卫队，密密层层地排列在码头两边。

bǐ jiào xià miàn liǎng zǔ zhōng de cí yǔ zài cóng kè wén zhōng zhǎo chū dài yǒu zhè xiē cí yǔ de jù zi lián xì shàng xià wén xiǎng yi xiǎng měi zǔ zhōng de liǎng gè cí yǔ néng bù néng xiāng hù diào huàn wèi shén me

3 比较下面两组中的词语，再从课文中找出带有这些词语的句子，联系上下文想一想每组中的两个词语能不能相互调换，为什么。

{瞭望
极目瞭望

{欢乐的歌
一曲新歌

zhào yàng zi xiě jù zi

4 照样子写句子。

船长邀我们		驾驶室	瞭望。
	到	图书馆	

dú dú xiě xiě shuō shuo dài diǎn cí yǔ de yì si

5 读读写写，说说带点词语的意思。

通知　随着　海港　航行　瞭望　吊车

挥动　旗帜　猛烈　耸立　仿佛　极目

一曲新歌　钻探船

yǒu gǎn qíng de lǎng dú kè wén
6　有感情地朗读课文。

15* 我和企鹅*
wǒ hé qǐ é

nián yuè rì wǒ men cóng shǒu dū
1986年1月8日，我们从首都
běi jīng chū fā chéng fēi jī cóng dōng bàn qiú
北京出发，乘飞机从东半球
fēi dào xī bàn qiú cóng běi bàn qiú fēi dào nán
飞到西半球，从北半球飞到南
bàn qiú yuè rì cái dào dá mù dì dì
半球，1月14日才到达目的地——
nán jí dà lù wǒ men gāo xìng de yòu bèng yòu
南极大陆。我们高兴得又蹦又
tiào
跳。

jǐn guǎn nán bàn qiú zhèng shì xià tiān
尽管南半球正是夏天，
kě shì nán jí dà lù shàng réng rán fù gài
可是南极大陆上仍然覆盖
zhe hòu hòu de bái xuě jǐn jǐn zài wǒ guó nán
着厚厚的白雪，仅仅在我国南

---

* 本文作者是杨海蓝，入选课文时文字有改动。

jí kǎo chá duì jiàn lì de cháng chéng zhàn fù
极考察队建立的长城站附
jìn cái lòu chū yì xiē dì miàn wǒ kàn dào
近，才露出一些地面。我看到
cháng chéng zhàn páng biān yǒu jǐ zhī hēi bái xiāng
长城站旁边有几只黑白相
jiàn de xiǎo dòng wù ā yuán lái shì qǐ é
间的小动物，啊，原来是企鹅。
zǎo jiù tīng kǎo chá duì de gāo bó bo shuō
早就听考察队的高伯伯说
guò cháng chéng zhàn duì miàn yǒu gè qǐ é dǎo
过，长城站对面有个企鹅岛，
shàng miàn de qǐ é chéng qiān shàng wàn kě
上面的企鹅成千上万，可

zhuàng guān le wǒ zhēn xiǎng zǎo yì diǎn ér dào
壮观了。我真想早一点儿到
qǐ é dǎo shàng qù kàn kan
企鹅岛上去看看！
gāo bó bo hǎo xiàng kàn chū le wǒ de
高伯伯好像看出了我的
xīn sī dāng tiān xià wǔ jiù dài wǒ men dēng
心思，当天下午就带我们登
shàng le qǐ é dǎo wǒ yǐ qián cóng diàn shì
上了企鹅岛。我以前从电视
lǐ kàn dào qǐ é chà bù duō yǒu xiǎo hái zi
里看到，企鹅差不多有小孩子

nà me gāo kě xiàn zài yí kàn zhè gè dǎo
那么高。可现在一看，这个岛
shàng de chéng nián qǐ é zhǐ yǒu yì chǐ lái
上的成年企鹅只有一尺来
gāo wèi chéng nián de jiù gèng xiǎo le zhǐ yǒu
高，未成年的就更小了，只有
xiǎo māo nà me dà dǎo shàng yí gòng yǒu sān
小猫那么大。岛上一共有三
zhǒng qǐ é zuì piào liang de shì jīn qǐ é
种企鹅，最漂亮的是金企鹅，
zuǐ shì jīn hóng sè de tóu bù yǒu liǎng kuài bái
嘴是金红色的，头部有两块白
máo yòu jiào huā liǎn qǐ é hái yǒu yì zhǒng
毛，又叫花脸企鹅。还有一种
qǐ é jǐng bù yǒu yì quān hēi máo hǎo xiàng
企鹅颈部有一圈黑毛，好像
jì mào zi de dài ér jiào mào dài ér qǐ
系帽子的带儿，叫帽带儿企
é tā men bīn bīn yǒu lǐ zhàn zài yuǎn chù
鹅。它们彬彬有礼，站在远处
xiàng wǒ men diǎn tóu xiàng huān yíng wǒ men shì
向我们点头，像欢迎我们似
de zuì xiōng měng de shì ā dé léi qǐ é
的。最凶猛的是阿德雷企鹅，
wǒ gāng mài jìn tā men de lǐng dì yì zhī
我刚迈进它们的“领地”，一只
qǐ é jiù jiān jiào zhe bǎ wǒ qū zhú chū
企鹅就尖叫着把我驱逐“出
jìng le tā men de jiào shēng hěn xiàng máo lǘ
境”了。它们的叫声很像毛驴，

suǒ yǐ yòu jiào lǘ qǐ é
所以又叫驴企鹅。

qǐ é de máo bù tóng yú bié de
企鹅的毛不同于别的
niǎo xiǎo qǐ é hún shēn shì róng máo chéng nián
鸟，小企鹅浑身是绒毛，成年
de zhǎng zhe yú lín zhuàng de máo tā men de
的长着鱼鳞状的毛。它们的
qū tǐ chéng liú xiàn xíng bèi bù hēi sè fù
躯体呈流线型，背部黑色，腹
bù bái sè duì bǐ xiān míng chì bǎng tuì huà
部白色，对比鲜明；翅膀退化
chéng qí zhuàng zǒu qǐ lù lái yì yáo yì bǎi
成鳍状，走起路来一摇一摆，
shí fēn yǒu qù wǒ bào qǐ yì zhī quán shēn huī
十分有趣。我抱起一只全身灰
sè de xiǎo qǐ é gēn tā hé yǐng liú niàn gāo
色的小企鹅，跟它合影留念。高
bó bo gào sù wǒ men zhè zhī máo róng róng de
伯伯告诉我们，这只毛茸茸的
xiǎo qǐ é shì gāng fū huà chū lái de hái bù
小企鹅是刚孵化出来的，还不
néng xià hǎi bǔ shí zhǐ néng chī mǔ qǐ é zuǐ
能下海捕食，只能吃母企鹅嘴
lǐ de shí wù guǒ rán wǒ kàn dào yǒu de xiǎo
里的食物。果然，我看到有的小
qǐ é zhuī zhe mǔ qǐ é yòng zuǐ náo tā de
企鹅追着母企鹅，用嘴挠它的
bó zi náo le jǐ cì yǐ hòu mǔ qǐ é zhǐ
脖子。挠了几次以后，母企鹅只

dé zhāng kāi zuǐ ràng xiǎo qǐ é bǎ zuǐ shēn
得张开嘴，让小企鹅把嘴伸
dào tā zuǐ lǐ chī tā cóng wèi lǐ ǒu chū lái
到它嘴里，吃它从胃里呕出来
de shí wù
的食物。

gāo bó bo hái gào sù wǒ men guò jǐ
高伯伯还告诉我们，过几
gè yuè xiǎo qǐ é jiù yào huàn máo le huàn
个月，小企鹅就要换毛了，换
máo yǐ hòu cái néng zì jǐ xià hǎi bǔ shí zài
毛以后才能自己下海捕食。再
guò jǐ gè yuè xiǎo qǐ é dì èr cì huàn
过几个月，小企鹅第二次换
máo zài zhǎng chū lái de máo jiù chéng le yú
毛。再长出来的毛就成了鱼
lín zhuàng zhè shí hòu tā jiù shì chéng nián qǐ
鳞状。这时候，它就是成年企
é le wǒ zǐ xì guān chá guǒ rán kàn dào yǒu
鹅了。我仔细观察，果然看到有
de xiǎo qǐ é dù pí shàng de máo yí kuài
的小企鹅肚皮上的毛一块
kuài tuō luò le kàn lái nà xiē quán shēn guāng
块脱落了。看来，那些全身光
huá yóu liàng de jiù shì chéng nián de qǐ é
滑油亮的就是成年的企鹅
le
了。

思考·练习

1 yuè dú kè wén huí dá wèn tí
阅读课文，回答问题。

“我”在企鹅岛上看到哪几种企鹅？说说它们各是什么样儿的？哪些词句表达出“我”对企鹅的喜爱？

2 qǐng zài duì de shuō fǎ hòu miàn huà “√”，bú duì de hòu miàn huà “×”。
请在对的说法后面画“√”，不对的后面画“×”。

(1) 企鹅岛上的企鹅，差不多有小孩子那么高。 (   )

(2) 小企鹅是由企鹅蛋孵化出来的。(   )

(3) 从小企鹅到成年企鹅，要换一次毛。 (   )

(4) 成年企鹅才能下海捕食。 (   )

3 lǎng dú kè wén
朗读课文。

基础训练 4

字·词·句

pīn dú xià miàn de cí yǔ，rèn shi gé yīn fú hào
一 拼读下面的词语，认识隔音符号。

pí' ǎo　xiōng' è　lián' ǒu　tiān' ān mén
皮袄　凶恶　莲藕　天安门

píng' ān　hūn' àn　dōng' ōu　bái qiú' ēn
平安　昏暗　东欧　白求恩

zǔ cí，zài dú yì dú
二 组词，再读一读。

乎（　　）农（　　）勇（　　）风（　　）

呼（　　）浓（　　）涌（　　）封（　　）

设（　　）针（　　）贵（　　）意（　　）

社（　　）珍（　　）桂（　　）义（　　）

yòng zhí xiàn bǎ cí yǔ lián jiē qǐ lái
三 用直线把词语连接起来。

抽出	知识	苍翠的	眼睛
背诵	双臂	灵活的	羽毛
积累	理想	鲜艳的	松柏
张开	枝条	有趣的	天空
实现	单词	晴朗的	海龟

bǎ běn zǔ kè wén zhōng hán yǒu
四 把本组课文中含有“……

jiù xiàng hǎo xiàng xiàng
就像……”“……好像……”“像

shì de jù zi zhǎo chū lái dú du zài
……似的”句子找出来读读，再

xiě gè zhè yàng de jù zi
写3个这样的句子。

阅读

dú shū de shí hòu bù jǐn yào nòng dǒng cí
读书的时候，不仅要弄懂词

yǔ de yì si hái yào xué xí zuò zhě shì zěn yàng
语的意思，还要学习作者是怎样

zhǔn què shǐ yòng cí yǔ de yuè dú xià biān de duǎn
准确使用词语的。阅读下边的短

wén xiǎng xiang yòng shàng dài diǎn de cí yǔ hǎo zài
文。想想用上带点的词语好在

nǎ lǐ bìng shuō shuo mā ma shì gēn jù shén me
哪里，并说说妈妈是根据什么

duàn dìng xiǎo hǎi guī méi yǒu zǒu yuǎn de
断定小海龟没有走远的。

mā ma wǒ de xiǎo hǎi guī diū le dào chù
“妈妈，我的小海龟丢了，到处
zhǎo dōu méi yǒu zhǎo dào liù suì de xiǎo yī fú
找都没有找到。”六岁的小伊芙
jí qiè de duì mā ma shuō
急切地对妈妈说。

tā de mā ma jiù shì bō lán wěi dà de
她的妈妈就是波兰伟大的
kē xué jiā jū lǐ fū rén
科学家居里夫人。

mā ma kàn zhe yī fú xiǎng le xiǎng
妈妈看着伊芙，想了想，
shuō nǐ shì zài nǎ ér gēn xiǎo hǎi guī wán de
说：“你是在哪儿跟小海龟玩的？”

yuàn zi lǐ
“院子里。”

mā ma lā zhù nǚ ér de shǒu shuō zǒu
妈妈拉住女儿的手，说：“走，
dài wǒ dào diū shī hǎi guī de dì fāng qù kàn
带我到丢失海龟的地方去看
kan
看。”

yī fú bǎ mā ma yǐn dào yuàn zi lǐ de
伊芙把妈妈引到院子里的
yì tiáo xiǎo lù shàng shuō jiù zài zhè ér
一条小路上，说：“就在这儿。”

xiǎo hǎi guī diū shī duō jiǔ le mā ma
“小海龟丢失多久了？”妈妈

wèn
问。

yě jiù wǔ fēn zhōng ba yī fú huí dá
"也就五分钟吧。"伊芙回答。

tā bú huì zǒu yuǎn de nǐ jiù yǐ zhè ér wéi yuán xīn zài bàn jìng dà yuē shì wǔ mǐ de yuán quān lǐ zǐ xì zhǎo zhǎo kàn
"它不会走远的。你就以这儿为圆心，在半径大约是五米的圆圈里仔细找找看。"

tīng le mā ma de huà yī fú shuāng xī guì xià fān qǐ hòu hòu de luò yè bō kāi mì mì de cǎo cóng yǎn jing zhēng de dà dà de zài mā ma zhǐ dìng de fàn wéi nèi zǐ xì xún zhǎo zhōng yú zài cǎo cóng lǐ fā xiàn le xiǎo hǎi guī yī fú jīng jiào le yì shēng yí xià zi zhuā zhù le tā
听了妈妈的话，伊芙双膝跪下，翻起厚厚的落叶，拨开密密的草丛，眼睛睁得大大的，在妈妈指定的范围内仔细寻找，终于在草丛里发现了小海龟。伊芙惊叫了一声，一下子抓住了它。

作文

kàn kan tú bǎ xià miàn cuò luàn pái liè de jù zi àn zhào xiān hòu shùn xù lián chéng yí duàn tōng shùn de huà zài xiě xià lái
一　看看图，把下面错乱排列的句子，按照先后顺序，连成一段通顺的话，再写下来。

wǒ chuān guò yuàn zi xiàng běi wū zǒu
我 穿 过 院 子 向 北 屋 走

qù wū mén kāi zhe yì yǎn jiù néng wàng jiàn
去。屋 门 开 着，一 眼 就 能 望 见

yíng miàn qiáng shàng de cǎi sè huà
迎 面 墙 上 的 彩 色 画。

wǒ xiǎng zhè jiù shì wǒ yào kàn wàng de
我 想：这 就 是 我 要 看 望 的

nà wèi lǎo jiào shī ba
那 位 老 教 师 吧？

yuàn zi lǐ jìng qiāo qiāo de dǎ sǎo
院 子 里 静 悄 悄 的，打 扫

de gān gān jìng jìng yì kē gāo dà de shù zhī
得 干 干 净 净。一 棵 高 大 的 树，枝

yè zhǎng de shí fēn mào shèng
叶 长 得 十 分 茂 盛。

wū lǐ zuò zhe yí wèi tóu fà huā bái
屋里坐着一位头发花白
de lǎo nián rén zhèng zài duì yì qún hái zi
的老年人，正在对一群孩子
jiǎng zhe shén me hái zi men dōu zhēng dà yǎn
讲着什么。孩子们都睁大眼
jing tīng zhe bù shí fā chū yí zhèn zhèn xiào
睛听着，不时发出一阵阵笑
shēng
声。

wǒ qīng qīng de zǒu jìn yuàn zi
我轻轻地走进院子。

guān chá yí chù jǐng wù yào àn yí dìng de
二 观察一处景物，要按一定的
shùn xù zhuā zhù jǐng wù de tè diǎn jìn xíng
顺序，抓住景物的特点进行
guān chá rán hòu xiě yí duàn huà bǎ zhǔ yào
观察，然后写一段话，把主要
jǐng wù xiě jù tǐ xiē zhù yì yòng cí zhǔn
景物写具体些。注意用词准
què yǔ jù tōng shùn shū xiě gōng zhěng bù xiě
确，语句通顺，书写工整，不写
cuò bié zì
错别字。

看图学文

16　周总理的睡衣*

图·华克雄

邓奶奶70多岁了。她戴（dài）着老花镜，安详地坐在沙发上，给我们敬爱的周恩来总理补睡衣。睡衣上已经有好几个补丁了。这一回，邓奶奶又穿上线，右手捏（niē）着针，略（lüè）略抬起，左手在熟练地打结［jié］。她是多么认真啊！

一位年轻的护士双手捧（pěng）着周总理的睡衣，望着补丁上又匀（yún）又细的针脚，眼睛湿润（rùn）了。

前面的小凳（dèng）子上摆着个针线笸（pǒ）箩（luo），笸箩里放着剪（jiǎn）刀、线团、布头和针线包。针线包上绣（xiù）着个红五星，特别引人注目。多年来，邓奶奶随身带着它，一直带到了北京。从什么时候起，她就有了这个针线包呢？从延（yán）安的窑洞里，从重庆的红岩村，也可能从二万五千里长征（zhēng）的路上。

* 本文作者是孙钧政，入选课文时文字有改动。

dài 戴	niē 捏	lüè 略	pěng 捧	yún 匀
dèng 凳	jiǎn 剪	xiù 绣	yán 延	zhēng 征

思考·练习

1　仔细看图，读课文，再回答问题。

(1) 周总理的睡衣是什么样的？从哪些地方可以看出邓奶奶补睡衣非常认真？

(2) 年轻的护士双手捧着睡衣，眼睛为什么湿润了？

(3) 针线笸箩里有些什么？绣着红五星的针线包为什么特别引人注目？

2　周恩来总理为什么总是穿着补了又补的睡衣？

3　按课文填空。

(1) 她（　　）着老花镜，安详地（　　）在沙发上，给我们敬爱的周恩来总理（　　）睡衣。

(2) 这一回，邓奶奶又（　　）上线，右手

（　　）着针，略略（　　）起，左手在

熟练地打结。

4 读读写写。

戴着　捏着　捧着　绣着　又匀又细

凳子　剪刀　延安　长征　引人注目

5 有感情地朗读课文。

17 亲　人

图·王炳炎

我们村寨（zhài）有十几户人家，大多是苗族，只有我家是汉（hàn）族。

我的邻（lín）居有一位老奶奶，快80岁了，可身体还算硬朗。她有个女儿在县（xiàn）城教书，难得回来一次。一年到头，出来进去总是她一个人。

老奶奶经济（jì）上并不困（kùn）难，困难的是没有人手。她毕（bì）竟（jìng）上了年纪，手脚不灵便（biàn），该买的不能出去买，该做的不能及（jí）时做。

妈妈是个热心肠（cháng）的人，每天从地里劳动回来，总要到老奶奶家去看看，有时给她缝（féng）缝洗洗，有时替（tì）她买米买盐（yán）。妈妈常对我说："放学回来，你也该帮助老奶奶做点事。少先队员应该懂得尊敬老人，照顾（gù）老人。"我一直记着妈妈的话。那时我还小，只能帮老奶奶擦（cā）擦桌子扫扫地，别的事干不了，她也不让我干。现在，我长大了，可以帮老奶奶多做些事了。

今天是星期日，我吃过午饭，做完功课，想起老奶奶前两天替换（huàn）下来的床单和衣服还放在那里。我便悄悄地背起竹篓（lǒu），拿上脸盆，到河边把衣物洗干净，然后又悄悄地回到院里。我正在晾（liàng）衣服，老奶奶高兴地从屋里走出来，把拐（guǎi）棍（gùn）立在一旁，双手捧着我的头，把热乎乎的脸紧贴着我的脸，笑眯（mī）眯地说："你真是个好孩子！你们这样帮助我，照顾我，真比我的女儿还亲啊！我该怎么谢你们呢！"

听了老奶奶的话，我实在有些不好意思，忙说："您说哪里去了，帮您做点事是应该的。以后，我还要帮您做更多的事呢。"

---

hàn	lín	jì	kùn	biàn	jí	cháng
汉	邻	济	困	便	及	肠
féng	tì	yán	gù	cā	huàn	liàng
缝	替	盐	顾	擦	换	晾

思考·练习

1　仔细看图，再读课文，回答问题。

(1)“我”在做什么？老奶奶为什么把脸紧贴在“我”的脸上？

(2) 妈妈和“我”为什么像亲人一样照顾老奶奶？她们为老奶奶做了哪些事？

(3) 老奶奶为什么说你们“真比我的女儿还亲啊”？

2　填空，读一读，再说说有括（kuò）号里的词语和没有括号里的词语有什么不同。

老奶奶（　　　）从屋里走出来，把拐棍立在一旁，（　　）捧着我的头，把（　　）脸紧贴着我的脸，笑眯眯地说：“你真是个好孩子！你们这样帮助我，照顾我，真比我的女儿还亲啊！我该怎么谢你们呢！”

3　读读写写，并用带点的词语造句。

汉族　邻居　经济　擦桌子　缝缝洗洗

便利　及时　照顾　替换　买米买盐

4　有感情地朗读课文。

课 文

18 灰 雀*

有一年冬天，列宁在郊（jiāo）外养病。他每天到公园散（sàn）步。公园里有一棵高大的白桦树，树上有三只灰雀。两只胸脯是粉红的，一只胸脯是深红的。它们在枝头欢蹦乱跳地唱歌，非常惹（rě）人喜爱。列宁每次走到白桦树下，都要停下来，仰望这三只欢快的灰雀，还经常给它们带来面包渣（zhā）和谷粒。

一天，列宁又来到公园，走到白桦树下，发现那只胸脯深红的灰雀不见了。他在周围的树木中找遍了，也没有找到。

这时，列宁看见一个小男孩，就问："孩子，你看见过一只深红色胸脯的灰雀吗？"

男孩说："没看见，我没看见。"

列宁说："那一定

* 本文译者是李声权，入选课文时文字有改动。

是飞走了或(huò)者是冻死了。天气严寒，它怕冷。”

那个男孩本来想告诉列宁灰雀没有死，但又不敢讲。

列宁自言自语地说：“多好的灰雀呀，可惜再也不会飞回来了。”

男孩看看列宁，说：“会飞回来的，一定会飞回来的。它还活着。”

列宁问：“会飞回来？”

“一定会飞回来！”男孩坚(jiān)定地说。

第二天，列宁来到白桦树下，果然又看到那只灰雀欢蹦乱跳地在枝头歌唱。那个男孩站在白桦树旁，低着头。

列宁看看男孩，又看看灰雀，微笑着说：“你好！灰雀，昨天你到哪儿去了？”

当然，灰雀没有告诉列宁昨天它去哪儿了。列宁也没再问那个男孩，因为他已经知道男孩是诚实的。

jiāo	sàn	rě	zhā	huò	jiān
郊	散	惹	渣	或	坚

思考·练习

1 默读课文，回答问题。

(1) 列宁在公园里看到什么样的鸟？从哪里可以看出列宁非常喜欢它们？

(2) 胸脯深红的灰雀到哪儿去了？又是怎么回来的？

(3) 为什么说男孩是个诚实的孩子？

2 读句子，说说有括号里的词语和没有括号里的词语，句子的意思有什么不同。

(1) 灰雀在枝头（欢蹦乱跳地）唱歌，（非常）惹人喜爱。

(2) 列宁（自言自语地）说："多好的灰雀呀，（可惜）再也不会飞回来了。"

3 读读写写。

郊外　散步　坚定　面包渣　欢蹦乱跳

或者　严寒　诚实　可惜　　惹人喜爱

4 有感情地朗读课文。

19* 让我们荡起双桨*

ràng wǒ men dàng qǐ shuāng jiǎng
让我们荡起双桨，
xiǎo chuán ér tuī kāi bō làng
小船儿推开波浪，
hǎi miàn dào yìng zhe měi lì de bái tǎ
海面倒映着美丽的白塔，
sì zhōu huán rào zhe lǜ shù hóng qiáng
四周环绕着绿树红墙。
xiǎo chuán ér qīng qīng piāo dàng zài shuǐ zhōng
小船儿轻轻飘荡在水中，
yíng miàn chuī lái liáng shuǎng de fēng
迎面吹来凉爽的风。

hóng lǐng jīn yíng zhe tài yáng
红领巾迎着太阳，
yáng guāng sǎ zài hǎi miàn shàng
阳光洒在海面上，
shuǐ zhōng yú ér wàng zhe wǒ men
水中鱼儿望着我们，
qiāo qiāo de tīng wǒ men yú kuài gē
悄悄地听我们愉快歌

* 本文作者是乔羽。

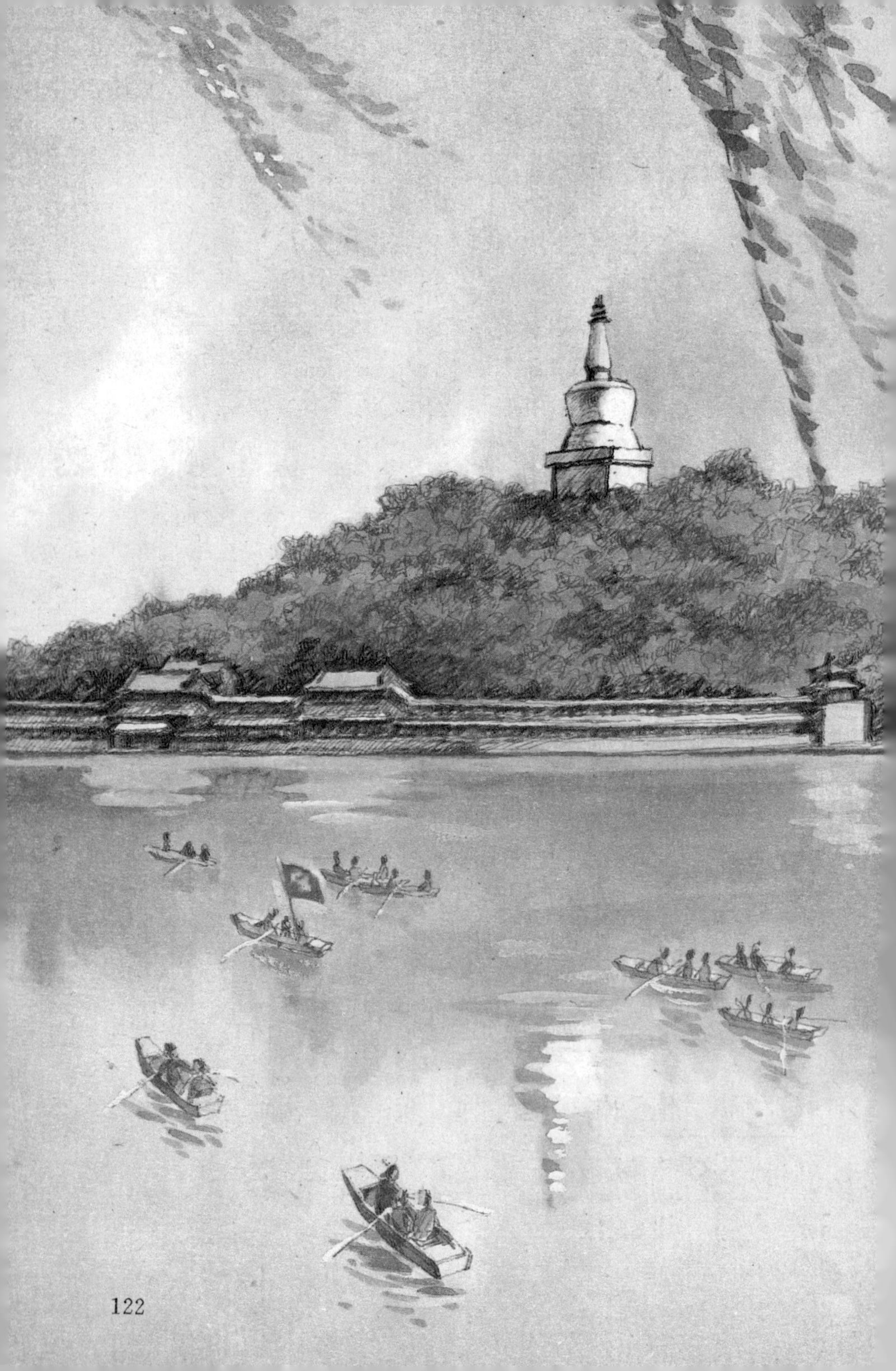

chàng
唱。

xiǎo chuán ér qīng qīng piāo dàng zài shuǐ
小船儿轻轻飘荡在水

zhōng
中，

yíng miàn chuī lái liáng shuǎng de fēng
迎面吹来凉爽的风。

zuò wán le yì tiān de gōng kè
做完了一天的功课，

wǒ men lái jìn qíng huān lè
我们来尽情欢乐，

wǒ wèn nǐ qīn ài de huǒ bàn
我问你亲爱的伙伴，

shuí gěi wǒ men ān pái xià xìng fú
谁给我们安排下幸福

shēng huó
生活？

xiǎo chuán ér qīng qīng piāo dàng zài shuǐ
小船儿轻轻飘荡在水

zhōng
中，

yíng miàn chuī lái liáng shuǎng de fēng
迎面吹来凉爽的风。

思考·练习

1 诗歌中三次出现“小船儿轻轻飘荡在水中，迎面吹来凉爽的风”，表达了“我们”什么样的心情？

2 结合学习和生活实际，说说是“谁给我们安排下幸福生活”。

3 朗诵课文。学唱这首歌。

基础训练 5

字·词·句

一　按部首法查字的顺序查字典，并填表。

查带点的字	查的部首	除部首还有几画	词语的意思
赠送			
表示			
躲避			
结束			

二　写出带有下面部首的字,看谁写得又对又多。

木：　　　　辶：　　　　艹：

扌：　　　　亻：　　　　⺮：

口：　　　　氵：　　　　忄：

三　给下面每个词写出两个意思相近的词。

灵便______ ______　温暖______ ______

喜悦______ ______　仿佛______ ______

四　下面句子中哪些词语用得不合适，说说为什么，并改正过来。

1　**同学们热心欢迎新老师。（　　）**

2　**小明十分爱护时间。（　　）**

3　**正确的意见，我们应该坚定。（　　）**

说话

到一个地方去游览(lǎn)，把观察到的景物讲给同学听。要抓住景物的特点，按一定顺序（xù)，一句一句说清楚。

阅读

要读懂一篇（piān）文章（zhāng），就要先读懂每一句话。一般（bān）地说，可以通过理解词语和联（lián）系（xì）上下文的方法来理解句子。阅（yuè）读下边的短文。注意带点的词语，着［zhuó］重体会朱德是怎样尊敬老师的。

zhū dé tóng zhì zūn jìng lǎo shī de gù shi
朱德同志尊敬老师的故事

shì shí fēn gǎn rén de nián zhū dé yǐ shì
是十分感人的。1957年，朱德已是70

suì de lǎo rén shì zhōng guó rén mín jiě fàng jūn de
岁的老人，是中国人民解放军的

yuán shuài dān rèn dǎng hé guó jiā zhòng yào lǐng dǎo
元帅，担任党和国家重要领导

zhí wù yí cì tā zài yún nán shěng de yí gè lǐ
职务。一次，他在云南省的一个礼

táng kàn xì kāi yǎn qián tā zhèng hé zhōu wéi de
堂看戏。开演前，他正和周围的

qún zhòng jiāo tán yí wèi bái fà cāng cāng de lǎo
群众交谈，一位白发苍苍的老

rén yóu fú wù yuán yǐn jìn lái zhū dé lì kè zhàn
人由服务员引进来。朱德立刻站

qǐ shēn jí máng yíng shàng qián qù xiàng lǎo rén jìng
起身急忙迎上前去，向老人敬

lǐ yòu shēn chū shǒu jǐn wò lǎo rén de shǒu qīn qiè
礼，又伸出手紧握老人的手，亲切

de jiào le shēng yè lǎo shī zhū dé qǐng lǎo rén
地叫了声："叶老师！"朱德请老人

zuò xià děng lǎo rén zuò dìng hòu zì jǐ cái zuò
坐下，等老人坐定后，自己才坐

xià yuán lái zhè wèi lǎo rén shì zhū dé shí jǐ suì
下。原来这位老人是朱德十几岁
zài yún nán shàng xué shí de lǎo shī
在云南上学时的老师。

作文

把你最近做过的一件有意义的事讲给同学听，要把事情经过说清楚，然后写成一段话。内容要具（jù）体，用词要准确，语句要通顺。写完以后要认真修改。

20 “你们想错了”*

1935年1月，方志敏（mǐn）同志率（shuài）领的北上抗（kàng）日先遣（qiǎn）队，在江西东北部的山区被国民党反动派（pài）包围了。经过7天7夜的激烈战斗，一批（pī）又一批的战士突围出来。方志敏和几个战士跟部队失去了联（lián）系（xì），分散隐蔽（bì）在山上的密林里。

图·马宏道

反动派命（mìng）令士兵搜（sōu）山。两个士兵发现了方志敏，知道他是红军的领

---

* 本文是根据方志敏所著《清贫》中的“一桩趣事”改写的。

导人，满心希望能从他身上搜出大洋来。他们把方志敏全身都摸（mō）遍了，从衣领直捏到袜底，除了一只怀（huái）表和一支钢笔以外，连一个铜板也没有找到。

一个士兵右手握（wò）着手榴（liú）弹，左手拉着引线，后退一步，做出要投（tóu）掷（zhì）的姿（zī）势（shì），威（wēi）吓［hè］地吼（hǒu）道："快把大洋拿出来，不然就

炸（zhà）死你！”

方志敏淡淡地说：“哼（hēng）！不要做出这种难看的样子来吧！我确实一个铜板也没有。要从我这里发洋财（cái），你们想错了！”

“你骗（piàn）谁，像你这样的大官会没有钱（qián）？”拿手榴弹的士兵不相信。

“不会没有钱的，一定是藏在什么地方了。”另一个士兵弓着背，又一次捏遍了方志敏的衣角和裤腰。

“不要瞎（xiā）忙吧！”方志敏说，“我们不像你们当官的，个个都有钱。我们革命不是为了发财！”

---

mǐn	kàng	pī	lián	xì	mìng	sōu	mō
敏	抗	批	联	系	命	搜	摸
wò	zī	shì	wēi	zhà	cái	qián	
握	姿	势	威	炸	财	钱	

思考·练习

1　默读课文，回答问题。

(1)两个敌兵发现方志敏后，他们是怎么做的？为什么要这么做？

(2)方志敏对敌兵说“你们想错了！”敌兵错在哪里？为什么说敌兵想错了？

2　方志敏说：“我们革命不是为了发财！”举例说说，革命先烈干革命为的是什么。

3　读下面的句子，回答括号里的问题。

(1)方志敏淡淡地说：“哼！不要做出这种难看的样子来吧！我确实一个铜板也没有。要从我这里发洋财，你们想错了！”（“淡淡地”是什么意思？方志敏为什么“淡淡地”说？）

(2)“不要瞎忙吧！”方志敏说，“我们不像你们当官的，个个都有钱。我们革命不是为了发财！”（这里方志敏一共说了几句话？每句话的意思是什么？）

4　读读写写。

抗日　一批　联系　命令　搜山

摸遍　握着　姿势　威吓　钱财

5　分角色朗读课文。

21 手术台就是阵地*

1939 年春，齐会战斗打响了。气焰（yàn）嚣（xiāo）张的日军刚到齐会镇（zhèn）就挨（ái）了当头一棒（bàng），被我军消灭了 500 多人。

敌人不断（duàn）反扑，战斗非常激烈。我军的伤员陆（lù）续（xù）从火线上抬下来。在离火线不远的一座小庙（miào）里，白求恩大［dài］夫正在给伤员做手术。他已经两天两夜没休（xiū）息了，眼球上布满了血丝（sī）。突然，几发炮弹落在小庙前的空［kòng］地上。硝（xiāo）烟滚（gǔn）滚，弹片纷飞，小庙被烟雾淹（yān）没了。白求恩仍（réng）然镇定地站在手术台旁。他接过助手递过来的镊（niè）子，敏捷（jié）地从伤员的腹腔（qiāng）里取出一块弹片，扔在盘子里。

敌机不断地在上空吼（hǒu）叫，炮弹不

---

* 本文作者是周而复，入选课文时文字有改动。

摄影·吴印咸

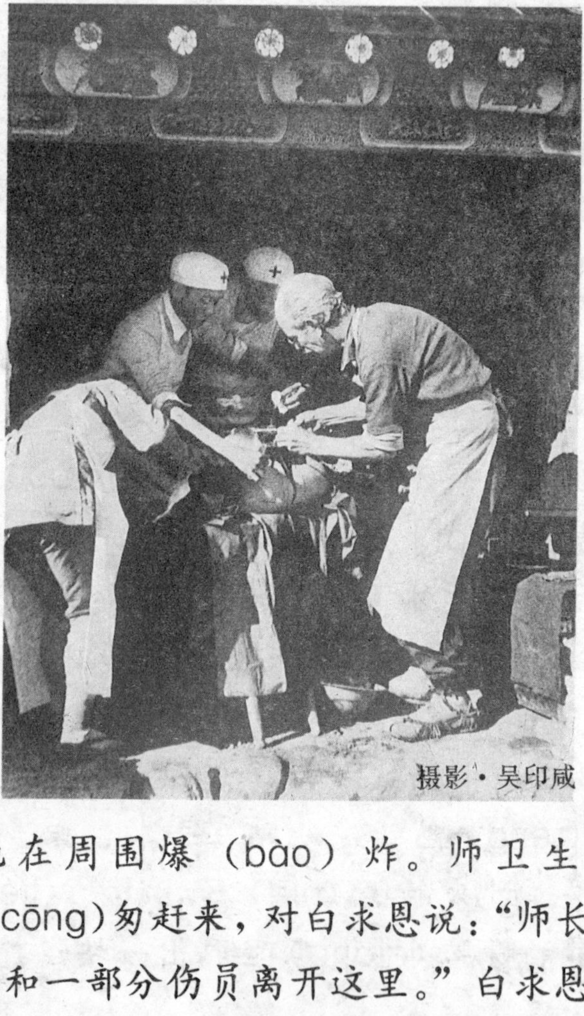

断地在周围爆（bào）炸。师卫生部长
匆（cōng）匆赶来，对白求恩说："师长决定
让您和一部分伤员离开这里。"白求恩沉思
了一会儿，说："我同意撤（chè）走部分伤
员。至（zhì）于我个人，要和战士们在一起，
不能离开。"部长恳求说："白求恩同志，这

儿危险（xiǎn），让您离开这里，是战斗形势的需要哇！”白求恩说：“谢谢师长的关心。可是，手术台是医生的阵地。战士们没有离开他们的阵地，我怎么能离开自己的阵地呢？部长同志，请您转告师长，我是一名八路军战士，不是你们的客人。”白求恩低下头，继（jì）续给伤员做手术。

一连几发炮弹落在小庙的周围。庙的一角落下了许多瓦片。挂在门口的布帘烧着了，火苗向手术台扑过来。助手们赶忙把火扑灭。担架队抬起做过手术的伤员，迅（xùn）速（sù）向后方转移（yí）。白求恩仍然争分夺（duó）秒（miǎo）地给伤员做手术，做了一个又一个。

齐会战斗进行了三天三夜，胜利结束了。白求恩大夫在手术台旁，连续工作了69个小时。

bàng	duàn	lù	xù	xiū	yān	réng
棒	断	陆	续	休	淹	仍
xiǎn	jì	xùn	sù	duó	miǎo	
险	继	迅	速	夺	秒	

思考·练习

1 默读课文，回答问题。

(1) 几发炮弹落在小庙前的空地上，白求恩是怎样抢救伤员的？

(2) 炮弹不断地在周围爆炸，白求恩是怎样对待伤员，对待自己的？

(3) 火苗向手术台扑过来，白求恩又是怎样工作的？

(4) 结合课文内容，具体说说对“手术台就是阵地”这句话的理解。

2 仔细阅（yuè）读下面的一段话，说说这段话有几句，每句话的意思是什么，这几句话主要说的是什么。

白求恩说：“谢谢师长的关心。可是，手术台是医生的阵地。战士们没有离开他们的阵地，我怎么能离开自己的阵地呢？部长同志，请您转告师长，我是一名八路军战士，不是你们的客人。”

3 从课文里找出带有“陆续”“继续”“连续”的句子，想一想这三个词在课文中能不能调换，为什么？

4 读读写写，并用带点的词语造句。

不断　陆续　休息　淹没　当头一棒

仍然　危险　继续　迅速　争分夺秒

5 有感情地朗读课文。

22　我的弟弟“小萝卜头”*

1941年，我的爸爸妈妈被国民党反动派秘密逮［dài］捕了。弟弟才八个月，也被带了进去，跟着妈妈住在女牢（láo）房里。

牢房一年到头不见阳光，阴暗潮（cháo）湿。弟弟穿的是妈妈改小的囚（qiú）衣，吃的和大人一个样，也是发霉（méi）发臭（chòu）的牢饭。长期监（jiān）狱（yù）生活把弟弟折（zhé）

* 本文选自宋振苏著的《我的弟弟“小萝卜头”》，文字有改动。

磨(mo)得面黄肌(jī)瘦。他长得脑袋大，身子小。难[nàn]友们都疼爱他，叫他“小萝卜头”。

弟弟六岁了，爸爸向特务(wù)提出，应当让弟弟上学。特务怕弟弟把监狱的内(nèi)幕(mù)泄(xiè)露出去，硬是不让。经过难友们几次斗争，特务才勉(miǎn)强[qiǎng]同意让“政(zhèng)治犯(fàn)”黄伯伯当弟弟的老师。每天，弟弟由特务押(yā)着去上课，学习完了，再由特务押回女牢房。

弟弟很爱学习，也很有礼貌。每次来到黄伯伯的牢房门前，他总是先轻轻地敲几下门，得到了黄伯伯

的许可才走进门去，敬个礼，说："黄伯伯好！"黄伯伯上午教他语文和算术，下午教他俄（é）语和图画。他每门功课都学得很好。特务在旁边监视的时候，他就用俄语跟黄伯伯说话。特务不懂俄语，只好干着急。

在牢房里，要得到一张纸一支笔是很不容易的。妈妈把草纸省下来，订成本子给弟弟。弟弟九岁生日那天，黄伯伯送给他一支铅笔。这可太珍贵了，弟弟在上课的时候才用，平时就用小石头在地上练习。不管夏天多么闷[mēn]热，冬天多么寒冷，他总是趴（pā）在牢房的地上写着，算着。

弟弟学习很认真，也很刻苦。他懂得学习的机会来之不易。他牢牢记住妈妈的话：将来革命胜利了，还要建设新中国。

---

láo	cháo	méi	chòu	jiān	yù
牢	潮	霉	臭	监	狱
zhé	wù	nèi	miǎn	zhèng	pā
折	务	内	勉	政	趴

思考·练习

1 默读课文，回答问题。

(1) 大家为什么叫弟弟为“小萝卜头”？

(2) 弟弟在牢房里是怎样刻苦学习的？他为什么这样做？

2 说说你的学习条件和“小萝卜头”有哪些不同。你打算怎样向他学习？

3 按照课文填空，说说有和没有括号里的词语，句子的意思有什么不同。

(1) 弟弟穿的是（　　）囚衣。

(2) 弟弟吃的是（　　）牢饭。

(3) 每次来到黄伯伯的牢房门前，他（　　）先（　　）敲几下门……

(4) 他（　　）记住妈妈的话：将来革命胜利了，还要建设（　　）中国。

4 读读写写，并说说带点词语的意思。

牢房　潮湿　监狱　折磨　发霉发臭

勉强　特务　趴在　来之不易

5 有感情地朗读课文。

zǒng sī lìng huàn fáng zi
23* 总司令换房子

kàng rì zhàn zhēng shí qī, zhū dé zǒng
抗日战争时期，朱德总
sī lìng shuài lǐng bù duì lái dào tài háng shān
司令率领部队来到太行山
qū de yí gè xiǎo shān cūn sù yíng. jǐng wèi
区的一个小山村宿营。警卫
yuán xiǎo zhāng máng zhe qù zhǎo cūn zhǎng ān pái
员小张忙着去找村长安排
zhù fáng. zhū dé jiàn chuī shì bān de tóng zhì
住房。朱德见炊事班的同志
zhèng zài dā zào ān guō, jiù chāo qǐ biǎn dan
正在搭灶安锅，就抄起扁担
qù tiāo shuǐ.
去挑水。

guò le yí huì ér, zhū dé de zhù fáng
过了一会儿，朱德的住房
ān pái hǎo le, shì yì jiān kuān chǎng míng liàng
安排好了，是一间宽敞明亮
de zhèng fáng. zhū dé kàn guò zhī hòu, èr huà
的正房。朱德看过之后，二话
méi shuō, zhuǎn shēn jiù zǒu.
没说，转身就走。

shǒu zhǎng, nín gāi xiū xi le, hái dào
“首长，您该休息了，还到
nǎ ér qù? xiǎo zhāng bù jiě de wèn.
哪儿去？”小张不解地问。

xiǎo zhāng huàn fáng zhèng fáng zán men bù
"小张，换房。正房咱们不
néng zhù
能住。"
yuán lái zhū dé tiāo shuǐ de shí hòu cóng
原来，朱德挑水的时候从
lǎo xiāng kǒu lǐ dé zhī zhè lǐ de fēng sú shì
老乡口里得知，这里的风俗是
zhǎng bèi zhù zhèng fáng suǒ yǐ tā yí kàn gěi
长辈住正房。所以，他一看给
zì jǐ ān pái de shì lǎo xiāng jiā de zhèng
自己安排的是老乡家的正
fáng jiù mǎ shàng xiǎng dào huàn fáng le kě shì
房，就马上想到换房了。可是，
xiǎo zhāng hái bù zhī dào zhè xiē tā bù gāo
小张还不知道这些，他不高
xìng de dū nang hǎo bù róng yì ràng cūn
兴地嘟囔："好不容易让村
zhǎng zhǎo le zhè me jiān fáng zi kě nín
长找了这么间房子，可您……"
zhū dé pāi zhe xiǎo zhāng de jiān bǎng
朱德拍着小张的肩膀，
xiào zhe gào sù tā xiǎo guǐ zhèng fáng shì rén
笑着告诉他："小鬼，正房是人
jiā zhǎng bèi zhù de dì fāng wǒ men bù néng
家长辈住的地方，我们不能
zhù jué bù néng wàng jì wǒ men shì rén mín
住。决不能忘记，我们是人民
de zǐ dì bīng
的子弟兵。"

tīng zǒng sī lìng shuō de yǒu dào lǐ xiǎo
听总司令说得有道理，小
zhāng hěn kuài zhǎo dào cūn zhǎng diào huàn le yí
张很快找到村长，调换了一
hù rén jiā zhū dé liǎo jiě le zhè hù rén jiā
户人家。朱德了解了这户人家
de rén kǒu hé zhù fáng qíng kuàng yǐ hòu zài
的人口和住房情况以后，在
sì jiān fáng zi zhōng xuǎn le yì jiān chuāng hù
四间房子中，选了一间窗户
xiǎo guāng xiàn chà cún fàng nóng jù de jiǎn lòu
小、光线差、存放农具的简陋
fáng zi zhù xià
房子住下。

xiǎo zhāng yǒu xiē chén bú zhù qì le
小张有些沉不住气了，
tā kǎo lǜ dào zǒng sī lìng yào zài zhè jiān fáng
他考虑到总司令要在这间房
zi lǐ kāi huì bàn gōng pī yuè wén jiàn kěn dìng
子里开会办公、批阅文件，肯定
hěn bù fāng biàn xiǎng gěi zǒng sī lìng huàn yì
很不方便，想给总司令换一
jiān guāng xiàn hǎo yì xiē de fáng zi zhū dé
间光线好一些的房子。朱德
méi yǒu tóng yì tā fēi cháng rèn zhēn de
没有同意。他非常认真地
shuō bú yào huàn le zhè fáng zi hěn hǎo ma
说："不要换了，这房子很好嘛。
nǐ men kàn zhè jiā yǒu lǎo rén yǒu xiǎo hái hái
你们看，这家有老人，有小孩，还

yǒu gè xí fù yào shēng hái zi zhù fáng bìng
有个媳妇要生孩子，住房并

bù kuān sōng wǒ men zhù de zhè jiān fáng zi
不宽松。我们住的这间房子，

bǐ dāng nián guò xuě shān cǎo dì shí shuì zài yě
比当年过雪山草地时睡在野

wài hǎo duō le zán men bù duì duì lǎo xiāng bù
外好多了。咱们部队对老乡不

néng yào zhè yào nà yào shí kè xiǎng zhe rén
能要这要那，要时刻想着人

mín de lì yì
民的利益。”

思考·练习

1 阅读课文，回答问题。

(1) 朱德总司令为什么不住宽敞明亮的正房，要求换房？

(2) 朱德总司令从老乡住房中选了一间什么样的房子住下？他为什么这样做？

2 有感情地朗读课文。

基础训练 6

字·词·句

一　读一读，注意每一组的声母或韵母有什么不同。

赞(zàn)叹　迅速(sù)　仍然(rán)　尽(jìn)情

车站(zhàn)　技术(shù)　转让(ràng)　干净(jìng)

二　比一比，组成词语。

休(　　)　捧(　　)　透(　　)　读(　　)
体(　　)　棒(　　)　绣(　　)　续(　　)

凉(　　)　怜(　　)　线(　　)　继(　　)
晾(　　)　邻(　　)　钱(　　)　断(　　)

三　说说下面每组句子中带点词的意思有什么不同。

1　弟弟跟着妈妈住在女**牢**。
　他**牢**牢记住了妈妈的话。

2　地上的水被晒**干**了。
　特务不懂俄语，只好**干**着急。

3　这块石头真**硬**。
　特务怕把监狱的内幕泄露出去，**硬**是不让弟弟到学校上学。

四　选择合适的词语填空。

恳求　要求　请求

1　老师（　　　）同学们要像赵晓燕那样刻苦学习。

2　一班的战士（　　　）首长把最艰巨的任务交给他们。

3　师卫生部长（　　　）白求恩赶快离开靠近火线的小庙。

五　照样子，给下面的句子加上词语，让句子表达的意思更具体。

例：我们登上一只海轮。

我们登上一只（浅蓝色的）海轮。

1　他是一个少先队员。

他是一个（　　　）少先队员。

2　院里有几棵杨树。

（　　　）院里有几棵杨树。

3　下课了，从校园里传出一阵阵笑声。

下课了，从校园里传出一阵阵（　　　）笑声。

阅读

阅（yuè）读下面的短文。联系上下文，说一说詹（zhān）天佑（yòu）为什么没有去参加晚会；“此刻，他的心已经飞回了祖国”，这句话是什么意思。

yē lǔ dà xué
耶鲁大学

de bì yè wǎn huì
的毕业晚会
kāi shǐ le xiào yuán
开始了，校园
lǐ dào chù shì huān
里到处是欢
gē xiào yǔ zhān tiān
歌笑语。詹天
yòu méi yǒu qù cān jiā
佑没有去参加
wǎn huì tā lái dào
晚会。他来到
lǎo shī bàn gōng shì
老师办公室，
líng tīng lǎo shī de lín bié jiào huì lǎo shī qīn qiè
聆听老师的临别教诲。老师亲切
de duì tā shuō wǒ zhù hè nǐ chū sè de wán
地对他说：“我祝贺你出色地完
chéng le xué yè jiē zhe tā bǎ yì zhī xiǎo pí
成了学业！”接着，她把一只小皮

xiāng jiāo gěi zhān tiān yòu shuō xiāng zi lǐ zhuāng
箱交给詹天佑，说：“箱子里装

zhe xiū jiàn tiě lù de zī liào shì wǒ duō nián sōu
着修建铁路的资料，是我多年搜

jí zhěng lǐ de jiù sòng gěi nǐ ba xī wàng nǐ
集整理的，就送给你吧。希望你

néng lì yòng tā wèi zì jǐ de guó jiā zuò chū gòng
能利用它为自己的国家作出贡

xiàn zhān tiān yòu jǐn jǐn wò zhù lǎo shī de shǒu
献。”詹天佑紧紧握住老师的手，

lián shēng dào xiè cǐ kè tā de xīn yǐ jīng fēi huí
连声道谢。此刻，他的心已经飞回

le zǔ guó
了祖国。

作文

仔细观察一个人，说说他（她）的身材，长相，穿什么样的衣服，给你怎样的印（yìn）象，然后用一段话写下来。内容要具（jù）体，用词要准确，语句要通顺，书写要工整，注意不写错别字。

24 古诗两首*

古　风

春种一粒粟（sù），
秋收万颗子。
四海无闲田，
农夫犹饿（è）死（sǐ）。

* 本文的作者分别是李绅、张俞。

蚕(cán)妇

昨日入城市，
归(guī)来泪(lèi)满巾。
遍身罗(luó)绮(qǐ)者，
不是养蚕人！

sù è sǐ cán guī lèi luó

粟 饿 死 蚕 归 泪 罗

思考·练习

1 “农夫犹饿死”是在什么情况下发生的，为什么会这样？

2 说说“昨日入城市，归来泪满市”这一诗句的意思。

3 读句子，给带点的字选择（zé）正确的解释（shì），填在括号里。

四海无闲田　闲：（1）有空　（2）没使用
（3）与（yǔ）正事无关
（　）

农夫犹饿死　犹：（1）犹豫　（2）如同
（3）还（　）

昨日入城市　市：（1）集市　（2）城市
（3）做买卖（mài）（　）

4 背诵课文。默写《古风》。

25 寓（yù）言两则（zé）

揠（yà）苗助长

古时候有个人，他巴望自己田里的禾苗长得快些，天天到田边去看。可是一天，两天，三天，禾苗好像一点儿也没有长高。他在田边焦（jiāo）急地转来转去，自言自语地说：“我得想个办法帮它们长。”

一天，他终于想出了办法，就急忙跑到田里，把禾苗一棵一棵往高里拔，从中午一直忙到太阳落山，弄得筋（jīn）疲（pí）力尽。

他回到家里，一边喘（chuǎn）气一边说：

“今天可把我累坏了！力气总算没白费(fèi)，禾苗都长高了一大截（jié)。”

他的儿子不明白是怎么回事，第二天跑到田里一看，禾苗都枯死了。

守（shǒu）株（zhū）待兔

古时候有个种田人，一天，他在田里干活，忽然看见一只野兔从树林里窜(cuàn)出来。不知怎么的，它一头撞（zhuàng）在田边的树桩（zhuāng）上，死了。

种田人急忙跑过去，没花一点儿力气，白捡了一只又肥又大的野兔。他乐滋(zī)滋地走回家去，心里想：要是每天能捡到一只

野兔，那该多好啊。

从此他丢下了锄（chú）头，整天坐在树桩旁边等着，看有没有野兔再跑来撞死在树桩上。日子一天一天过去了，再也没有野兔来过，他的田里已经长满了野草，庄稼全完了。

yù	zé	jīn	pí	chuǎn	fèi	jié
寓	则	筋	疲	喘	费	截
shǒu	zhū	cuàn	zhuàng	chú		
守	株	窜	撞	锄		

思考·练习

1 默读课文，回答问题。

(1)《揠苗助长》里的那个人，想出了什么方法帮助禾苗生长？结果怎样？他错在哪里？

(2)《守株待兔》里的那个种田人是怎样得到一只野兔的？以后他是怎么做的？结果怎样？他错在哪里？

2 你读了这两则寓言，懂得了什么道理？

3 读读写写。

寓言　喘气　白费　巴望　筋疲力尽

窜出　撞在　锄头　一截　守株待兔

4 朗读课文。背诵课文。

26 会摇尾巴的狼*

狼掉进陷（xiàn）阱（jǐng）里，怎么爬也爬不上来。老山羊从这里路过，狼连忙打招呼，说："好朋友！为了我们的友情，帮帮忙吧！"

老山羊问："你是谁？为什么跑到陷阱里去了？"

狼装出一副(fù)又老实又可怜的模样，说："我，你不认识了吗？我是又忠诚又驯(xùn)良(liáng)的狗啊！为了救(jiù)一只掉进陷阱的小鸡，我毫(háo)不犹豫地跳了下来，没想到再也爬不上去了。唉(ài)！可怜可怜我这善(shàn)良的狗吧！"

---

* 本文作者是严文井，入选课文时文字有改动。

老山羊看了狼几眼，说："你不像狗，倒很像狼！"

狼连忙半闭着眼睛，说："我是狼狗，所以有点像狼。我的性(xìng)情很温和，跟羊特别亲。你只要伸(shēn)下一条腿来，我就得救了。我一定好好答谢你，给你舔毛，帮你咬虱(shī)子……"

"别再花言巧语了。"老山羊说，"你骗(piàn)不了我，狗都是老老实实的，不像你这样狡(jiǎo)猾(huá)。"

狼着急了，赶忙说："请您相信，我的[dí]的确确是狗。不信，你看我还会摇尾巴。"

狼把尾巴使劲(jìn)摇了几下，扑扑扑，把陷阱里的尘土都扫了起来。

老山羊看到了这条硬尾巴，心里完全明白了，就说："你再会摇尾巴，也还是凶(xiōng)恶(è)的狼。你干尽了坏事，谁也不会来救你的。"

狼终于露出了凶相，咧(liě)开嘴，龇(zī)着牙，对老山羊恶狠(hěn)狠地叫嚷(rǎng)："你这该死的老东西！不快点过来，我就吃掉你！"

老山羊轻蔑(miè)地看了狼一眼，说："你不会活多久了。猎人会来收拾(shi)你的。"说完就走开了。

---

xiàn	liáng	jiù	shàn	xìng	shēn	piàn	jiǎo
陷	良	救	善	性	伸	骗	狡

huá	jìn	xiōng	è	hěn	rǎng	shí
猾	劲	凶	恶	狠	嚷	拾

思考·练习

1 默读课文，回答问题。

(1) 狼几次说自己是狗，都是在什么情况下说的？

(2) 老山羊是怎样发现它是狼的？最后老山羊是怎样做的？

2 结合上下文，读下面的句子，回答括号里的问题。

(1) 老山羊从这里路过，狼连忙打招呼，说："好朋友！为了我们的友情，帮帮忙吧！"（狼为什么连忙打招呼？狼是老山羊的好朋友吗？它为什么这样说？）

(2) 老山羊看到了这条硬尾巴，心里完全明白了。（老山羊明白了什么？）

3 比较下面的句子，说说有什么不同。

(1) 狼掉进陷阱里，爬不上来。

狼掉进陷阱里，怎么爬也爬不上来。

(2) 你会摇尾巴，也还是凶恶的狼。

你再会摇尾巴，也还是凶恶的狼。

4 读读写写，并用带点的词语造句。

善良　性情　得救　狡猾

使劲　凶恶　叫嚷　收拾

毫不犹豫　花言巧语　的的确确

5　分角色朗读课文。

qún niǎo xué yì

27* 群鸟学艺

xǔ duō niǎo tīng shuō fèng huáng huì dā

许多鸟听说凤凰会搭

wō dōu dào tā nà ér qù xué běn lǐng

窝，都到他那儿去学本领。

fèng huáng shuō xué běn lǐng yào yǒu nài

凤凰说：“学本领要有耐

xīn méi yǒu nài xīn shén me yě xué bù chéng

心；没有耐心，什么也学不成。”

huà gāng kāi gè tóu māo tóu yīng xiǎng fèng

话刚开个头，猫头鹰想：“凤

huáng zhǐ shì zhǎng de piào liang bú jiàn de yǒu

凰只是长得漂亮，不见得有

shén me zhēn běn lǐng yǒu shén me hǎo xué de

什么真本领。有什么好学的！”

māo tóu yīng fēi zǒu le

猫头鹰飞走了。

fèng huáng jiē zhe shuō yào dā wō xiān

凤凰接着说：“要搭窝，先

yào xuǎn hǎo gēn jī bǐ rú dà shù gàn shàng

要选好根基，比如大树干上

de sān gè chà lǎo yīng yì tīng xiǎng

的三个杈……”老鹰一听，想：

à yuán lái jiù shì zhǎo gè shù chà tǐng jiǎn
“啊！原来就是找个树杈，挺简

dān wǒ huì le lǎo yīng pāi pāi chì bǎng yě
单，我会了。”老鹰拍拍翅膀，也

fēi zǒu le
飞走了。

fèng huáng jiē xià qù shuō bǎ diāo lái
凤凰接下去说：“把叼来

de shù zhī yì céng yì céng de lěi qǐ
的树枝，一层一层地垒起

lái gāng shuō dào zhè lǐ wū yā xiǎng
来……”刚说到这里，乌鸦想：

yuán lái jiù shì lěi shù zhī a wǒ yě xué huì
“原来就是垒树枝啊，我也学会

le wū yā dé yì de fēi zǒu le
了。”乌鸦得意地飞走了。

fèng huáng yòu wǎng xià shuō zhè zhǒng
凤凰又往下说：“这种

wō bú suàn hǎo yào xiǎng zhù de ān wěn yì
窝不算好。要想住得安稳一
xiē yīng gāi bǎ wō dā zài fáng yán dǐ xià bú
些，应该把窝搭在房檐底下，不
pà fēng bú pà yǔ má què tīng le gāo
怕风，不怕雨……”麻雀听了，高
xìng de xiǎng hé wǒ xiǎng de yí gè yàng
兴地想：“和我想的一个样！”
má què zhuǎn shēn fēi zǒu le
麻雀转身飞走了。

zhǐ yǒu xiǎo yàn zi hái zài nà lǐ rèn
只有小燕子还在那里认
rèn zhēn zhēn de tīng fèng huáng duì xiǎo yàn zi
认真真地听。凤凰对小燕子
shuō dā zhè yàng de wō yào bú pà kǔ bú
说：“搭这样的窝要不怕苦，不
pà lèi nǐ yào xiān diāo ní yòng tuò mo bǎ ní
怕累。你要先叼泥，用唾沫把泥
bàn yún le zài yì céng yì céng de lěi qǐ
拌匀了，再一层一层地垒起
lái rán hòu diāo xiē máo hé cǎo pū zài wō
来，然后叼些毛和草铺在窝
lǐ zhè yàng de wō zhù zhe cái shū fu ne
里。这样的窝住着才舒服呢。”
xiǎo yàn zi tīng wán chàng qǐ dòng tīng de gē
小燕子听完，唱起动听的歌，
xiàng fèng huáng biǎo shì gǎn xiè
向凤凰表示感谢。

xǔ duō niǎo dōu xiàng fèng huáng xué guò
许多鸟都向凤凰学过

dā wō kě shì yǒu de réng jiù bú huì dā yǒu
搭窝，可是有的仍旧不会搭，有
de dā de wō hěn cū cāo zhǐ yǒu xiǎo yàn zi
的搭的窝很粗糙。只有小燕子
dā de wō bù jǐn piào liang ér qiě yòu jiē
搭的窝，不仅漂亮，而且又结
shi yòu nuǎn huo
实、又暖和。

思考·练习

1 联系上下文想一想，回答括号里的问题。

许多鸟都向凤凰学过搭窝，可是有的仍旧不会搭，有的搭的窝很粗糙。（哪些鸟仍旧不会搭，哪些鸟搭的窝很粗糙？为什么？）只有小燕子搭的窝，不仅漂亮，而且又结实、又暖和。（小燕子搭的窝为什么这么好？）

2 朗读课文。

基础训练 7

字·词·句

一 用部首查字法，在字典里查出下面的字。

顿　斧　遇　司　感　示

二 比一比，组成词语。

闲(　　)狠(　　)则(　　)科(　　)
闷(　　)狼(　　)侧(　　)料(　　)

深(　　)订(　　)扒(　　)归(　　)
探(　　)钉(　　)趴(　　)旧(　　)

三 选词填空。

结实　　硬朗

1 小弟弟的身体很(　　)。

宝贵　　珍贵

2 赖(lài)宁为抢救国家财产，献出了(　　)的生命。

灵活　　灵便

3 翠鸟长着一双(　　)的眼睛。

四 照样子，给下面的句子加上合适的词语，使句子表达的意思更具体。

例：老山羊看了狼一眼。

老山羊（轻蔑地）看了狼一眼。

1　一辆汽车开过来了。

一辆汽车（　　）开过来了。

2　战士们完成了任务。

战士们（　　）完成了任务。

3　下课以后，大家在操场上做游戏。

下课以后，大家在操场上（　　）做游戏。

五　照样子，连成通顺的句子，并加上标点。

	到戏院去	买玩具
	到公园去	看戏
	到学校去	看梅花展览
表姐和我	到少年宫	上课
	到商场去	参加活动

听话·说话

读下面的对话，再以到商店（diàn）买学习用具为内容，练习对话。

李华：王老师，您好。

王老师：李华，你好。是来借书吗？

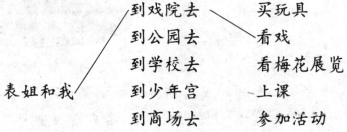

李华：是呀。这本《雷锋（fēng）的故事》我看完了。

王老师：你觉得这本书怎么样？

李华：很好。我看了以后，了解了雷锋叔叔的一生。特别是他全心全意为人民服务的精神，给我留下了深刻的印（yìn）象。我一定要向雷锋叔叔学习。王老师，我想借《我的弟弟"小萝卜头"》。

王老师：这本书借出去了。你先借《少年英雄的故事》，好吗？

李华：好，我就借这本书。王老师，再见！

王老师：再见！

阅读

阅（yuè）读下边的短文，联系上下文，说说知了在学飞时，为什么总是说"知了，知了"；后来，为什么又说"迟了，迟了"。

chuán shuō zài hěn gǔ hěn gǔ de shí hòu zhī
传说在很古很古的时候，知
liǎo shì bú huì fēi de yì tiān tā kàn jiàn yì zhī
了是不会飞的。一天，它看见一只
dà yàn zài kōng zhōng zì yóu de fēi xiáng shí fēn
大雁在空中自由地飞翔，十分
xiàn mù yú shì jiù qǐng dà yàn jiāo tā xué fēi dà
羡慕。于是，就请大雁教它学飞。大
yàn gāo xìng de dā ying le
雁高兴地答应了。

xué fēi shì yí jiàn hěn jiān kǔ de shì qing
学飞是一件很艰苦的事情。
zhī liǎo pà jiān kǔ yí huì ér dōng zhāng xī wàng
知了怕艰苦，一会儿东张西望，
yí huì ér pá lái pá qù xué de hěn bú rèn zhēn
一会儿爬来爬去，学得很不认真。

dà yàn gěi tā jiǎng zěn yàng fēi tā tīng le
大雁给它讲怎样飞，它听了
jǐ jù jiù bú nài fán de shuō zhī liǎo zhī liǎo
几句，就不耐烦地说："知了！知了！"
dà yàn ràng tā shì zhe fēi yì fēi tā zhǐ fēi
大雁让它试着飞一飞，它只飞
le jǐ cì jiù zì mǎn de rǎng zhe zhī liǎo zhī
了几次，就自满地嚷着："知了！知

liǎo
了！”

qiū tiān
秋天

dào le dà yàn
到了，大雁

yào fēi dào nán
要飞到南

fāng qù le zhī
方去了。知

liǎo hěn xiǎng gēn
了很想跟

zhe dà yàn yì qǐ zhǎn chì gāo fēi kě shì tā yòng
着大雁一起展翅高飞，可是，它用

lì pū teng zhe chì bǎng hái shì fēi bù gāo
力扑腾着翅膀，还是飞不高。

zhè shí hòu zhī liǎo wàng zhe dà yàn zài wàn
这时候，知了望着大雁在万

lǐ cháng kōng fēi xiáng zhēn ào huǐ zì jǐ dāng chū
里长空飞翔，真懊悔自己当初

méi yǒu nǔ lì xué xí kě shì yǐ jīng wǎn le tā
没有努力学习，可是，已经晚了，它

zhǐ hǎo tàn zhe qì shuō chí le chí le
只好叹着气，说：“迟了！迟了！”

作文

认真观察一个静物（盆花、工艺（yì）品、小摆设等），要按一定顺序（xù）观察，并抓住这个静物的特点，在观察的基础上写一段话。写之前，把要写的意思想清楚；写的时候，要把句子写通顺。

28　做风车的故事

二百多年前，英国有位大科学家叫牛顿（dùn）。

牛顿生在一个农民的家庭（tíng）里。他在小学念书的时候，特别喜欢做手工。奶奶给他的零（líng）用钱，他总是攒（zǎn）起来买锯（jù），买斧（fǔ）头，买凿（záo）子。他整天忙着做手工，学习成绩不怎么好。

有一天，牛顿放学回家，看见村子旁边正在安装磨[mò]面的风车。他停下来仔仔细细地看，几[jī]乎忘了回家。以后每天放学，他都要跑去看一阵子。风车装好了，牛顿帮奶奶背着一口袋麦子去磨面，只见风车带动石磨，白花花的面粉从石磨周围撒下来。牛顿说："奶奶，回去我也要做一个。"

每天放学回家，牛顿就钻进屋子丁丁当当地忙个不停。过了些日子，一架小小的风车果然做成了，用扇子一扇[shān]，风车就吱（zhī）吱地转起来。奶奶说："你的风车能磨面吗？”牛顿天真地说：“能。”奶奶笑了。

第二天上学，牛顿把他那小小的风车带去，摆在课桌上。同学们都围上来看。牛顿得意地转着风车。大家也夸（kuā）奖（jiǎng）他做得好。正在这时候，同班的卡（kǎ）特大声说：“牛顿，风车为什么会转，你能讲出道理来吗？”

“道理？”牛顿从没想过，做手工还要懂

得道理。卡特看牛顿发愣（lèng）了，笑着说：“讲不出道理来，光会做有什么希罕（han）呢？真可笑！”同学中也迸（bèng）发出一阵笑声。不知被谁一推（tuī），那架小风车掉在地上摔（shuāi）坏了。

牛顿羞（xiū）得满脸通红。他捡起摔坏的风车，心里难受（shòu）极了，但（dàn）是没有流一滴（dī）眼泪。从此，牛顿发愤学习，遇（yù）到任（rèn）何（hé）事情都要问个为什么，渐渐地养成了刻苦钻研的习惯（guàn）。

---

dùn	tíng	jù	fǔ	kuā	jiǎng	tuī	shuāi
顿	庭	锯	斧	夸	奖	推	摔
shòu	dàn	dī	yù	rèn	hé	guàn	
受	但	滴	遇	任	何	惯	

思考·练习

1　默读课文，回答问题。

(1) 牛顿的小风车是怎样做出来的？

(2) 同学们对小风车有哪些看法？卡特的意见对不对？

(3) 小风车被摔坏以后，牛顿为什么心里难受极了，但又没有流一滴眼泪？

2　读一读，注意带点的词语，说说句子的意思。

(1) 他停下来仔仔细细地看，几乎忘了回家。

(2) 每天放学回家，牛顿就钻进屋子丁丁当当地忙个不停。

(3) 从此，牛顿发愤学习，遇到任何事情都要问个为什么，渐渐地养成了刻苦钻研的习惯。

3　读读写写，并用带点的词语造句。

家庭　斧头　锯子　几乎　夸奖　摔坏

难受　但是　一滴　遇到　任何　习惯

4　朗读课文。

29　曼（màn）谷的小象*

在曼谷近郊，绿油油的禾田和点缀（zhuì）着淡紫色野花的草地，一直延伸到海边。

清晨，我们乘坐的汽车在高低不平的公路上颠（diān）簸（bǒ）。昨晚的热带阵雨，使坑（kēng）坑洼洼的公路变得泥泞（nìng）不堪（kān）。汽车东摇西摆，忽然一歪，轮子陷进泥坑，走不动了。

司（sī）机下车察看，叹（tàn）了口气，对我们说："我到前边找几个人来帮忙。"

正在这时候，从橘（jú）红色的晨雾中飘来一阵悦（yuè）耳的铜铃声。啊，是一头小象，后面跟着一位泰（tài）国妇（fù）女。她30岁左右，穿着绣花上衣，白地红花的裙（qún）子。走到车前，她冲[chòng]我们微微一笑，露出整齐的牙齿。司机跟她打招（zhāo）呼，叫她阿玲。

* 本文作者是丁炜，入选课文时文字有改动。

阿玲绕着汽车走了一圈。她沉思了片刻，拍拍小象的鼻（bí）子，用脸贴贴它的扇子似[shì]的大耳朵，指了指陷进泥坑的轮子。

聪（cōng）明的小象走到坑边，用它那十分有力的长鼻子东一掀(xiān)，西一撬（qiào），很快就把汽车从泥坑中拉出来了。

奇迹，真是奇迹！小象的绝（jué）技真令人佩（pèi）服。司机紧紧握（wò）住阿玲的手，一再表示（shì）感（gǎn）谢。阿玲抽回了手，笑眯（mī）眯地摇了摇头，又走近小象，轻轻摸（mō）着它那长鼻子，指了指车身上的污（wū）泥。小象转身走进金色的雾中，一会儿甩着长鼻子，潇（xiāo）洒地回来了。它伸直鼻子，冲着车身喷（pēn）起了水，把污泥冲得干干净净，车身焕（huàn）然一新。

啊，多么乖（guāi）巧的小象！我心中暗暗赞（zàn）叹（tàn）。

我们再次向阿玲致（zhì）谢。阿玲摆摆手，笑眯眯地用红润的脸蛋紧贴着小象的大耳朵，缓（huǎn）缓地走进已变得紫微微的晨雾里。

---

kēng	sī	tàn	yuè	fù	zhāo	bí	cōng
坑	司	叹	悦	妇	招	鼻	聪

shì	gǎn	mī	wū	pēn	guāi	zàn
示	感	眯	污	喷	乖	赞

思考·练习

1 默读课文，说说阿玲是怎样指挥小象把汽车从泥坑里拉出来，并把车身上的污泥冲洗干净的。

2 读下面的句子，想一想如果去掉括号里的词语，和原句的意思有什么不同。

(1) 从（橘红色的）晨雾中飘来一阵（悦耳的）铜铃声。

(2) 小象转身走进（金色的）雾中……

(3) 阿玲摆摆手，（笑眯眯地）用（红润的）脸蛋紧贴着小象的大耳朵，（缓缓地）走进（已变得紫微微的）晨雾里。

3 读读写写，并用带点的词语造句。

泥坑　悦耳　妇女　污泥　鼻子　笑眯眯

聪明　表示　感谢　喷起　乖巧　赞叹

4 有感情地朗读课文。背诵第四和第七自然段。

xīn nián lǐ wù

30* 新年礼物*

lí yuán dàn hái yǒu hǎo jǐ tiān wǒ men
　　离元旦还有好几天，我们
jiù gěi lǎo shī zhǔn bèi xīn nián lǐ wù le dì
就给老师准备新年礼物了。弟
di gào sù bà ba tā men xiǎo duì qiāo qiāo de
弟告诉爸爸，他们小队悄悄地
shāng liang guò le sòng gěi lǎo shī de xīn nián
商量过了：送给老师的新年
lǐ wù yào yǒu yì yì yào bǐ qù nián de
礼物要有意义，要比去年的
hǎo hái yào zì jǐ dòng nǎo jīn zuò bù xǔ gēn
好，还要自己动脑筋做，不许跟
bà ba mā ma yào qián mǎi bà ba shuō hǎo
爸爸妈妈要钱买。爸爸说：“好
wā nǐ ná shén mo lǐ wù sòng gěi lǎo shī
哇，你拿什么礼物送给老师
ne dì di xiào le xiào méi shuō shén me zuò
呢？”弟弟笑了笑，没说什么，做
le gè guǐ liǎn pǎo kāi le
了个鬼脸跑开了。
dì di néng ná shén me xiàng yàng de
　　弟弟能拿什么像样的

---

* 本文作者是吴然，入选课文时文字有改动。

lǐ wù sòng gěi lǎo shī ne tā huà bù hǎo shǒu
礼物送给老师呢？他画不好，手
gōng yě zuò bù hǎo yǐ jīng shàng sān nián jí
工也做不好。已经上三年级
le tā hái shì tān wán xué xí bù zhuān xīn
了，他还是贪玩，学习不专心，
zuò yè máo máo cǎo cǎo xiě zì duō bǐ shǎo
作业毛毛草草，写字多笔少
huà suàn suàn shù cháng cháng wàng jì jìn wèi
画，算算术常常忘记进位，
wàng jì dǎ xiǎo shù diǎn fān kāi tā de zuò
忘记打小数点。翻开他的作
yè běn jìn shì lǎo shī tí xǐng tā yào xiě hǎo
业本，尽是老师提醒他要写好
zì hé rèn zhēn zuò zuò yè de pī yǔ bà ba
字和认真做作业的批语。爸爸
pī píng tā shèn zhì hěn hěn de xùn tā tā jiù
批评他，甚至狠狠地训他，他就
shì gǎi bù liǎo
是改不了。

yì tiān bà ba zài lǐ wū kàn shū dì
一天，爸爸在里屋看书。弟
di zài wài wū zuò zuò yè hū rán gēn lín jiā
弟在外屋做作业，忽然跟邻家
de xiǎo wěi chǎo le qǐ lái dì di dài zhe kū
的小苇吵了起来。弟弟带着哭
shēng shuō péi péi nǐ péi bà ba huāng
声，说："赔，赔，你赔……"爸爸慌
máng pǎo chū lái zhǐ jiàn dì di dǒu zhe shǒu
忙跑出来，只见弟弟抖着手

lǐ de zuò yè běn
里的作业本，
zhèng cháo zhe xiǎo wěi
正朝着小苇
jiào rǎng bà ba wèn
叫嚷。爸爸问
shì zěn me huí shì
是怎么回事。
xiǎo wěi wā de yì
小苇哇地一
shēng kū le dì di
声哭了。弟弟
yě kū le shuō tā
也哭了，说："他
huài bǎ wǒ de zuò
坏，把我的作
yè běn sī pò le
业本撕破了。"
wǒ bú shì
"我不是
gù yì de wǒ
故意的……我
bù xiǎo xīn zhǐ qīng
不小心，只轻
qīng yì lā běn zi
轻一拉，本子
jiù sī le xiǎo wěi
就撕了。"小苇

dī xià tóu yòng shǒu juàn cā zhe yǎn jing
低下头，用手绢擦着眼睛。

bù xiǎo xīn shuí jiào nǐ bù xiǎo xīn nǐ
“不小心？谁叫你不小心？你

bù zhī dào ma zhè shì wǒ sòng gěi lǎo shī de
不知道吗，这是我送给老师的

xīn nián lǐ wù dì di dèng zhe yǎn jing liǎn
新年礼物！”弟弟瞪着眼睛，脸

dàn qì de hóng hóng de
蛋气得红红的。

lǐ wù bà ba chà yì de bǎ zuò
“礼物？”爸爸诧异地把作

yè běn ná guò lái yō dì di lǎo shì bǎ zuò
业本拿过来：哟，弟弟老是把作

yè běn nòng de yòu zhòu yòu zāng zhè yì běn
业本弄得又皱又脏，这一本

què yòu píng zhěng yòu gān jìng fān kāi yí kàn
却又平整又干净。翻开一看，

zì xiě de yòu gōng zhěng yòu qīng xiù měi dào
字写得又工整又清秀；每道
tí dōu zuò de hěn rèn zhēn ér qiě yì lián jǐ
题都做得很认真，而且一连几
cì dōu dé le fēn bà ba míng bái le zhè
次都得了100分！爸爸明白了：这
yí zhèn dì di zuò zuò yè zhī qián zǒng yào bǎ
一阵弟弟做作业之前，总要把
zhuō zi shōu shi de gān gān jìng jìng cā le yòu
桌子收拾得干干净净，擦了又
cā zuò suàn shù zǒng yào zài cǎo gǎo zhǐ shàng
擦；做算术总要在草稿纸上
yǎn suàn hǎo le cái téng zài zuò yè běn
演算好了，才誊在作业本
shàng tā shì yòng měi hǎo de xīn líng zài
上……他是用美好的心灵，在
zuò zhe sòng gěi lǎo shī de lǐ wù wa
做着送给老师的礼物哇！

bà ba zhǎo lái jiāo shuǐ xiǎo xīn de bǎ
爸爸找来胶水，小心地把
sī pò de yì jiǎo zhān bǔ qǐ lái kàn bà ba
撕破的一角粘补起来，看爸爸
zhān bǔ de nà yàng hǎo dì di mǎn yì de
粘补得那样好，弟弟满意地
xiào le
笑了。

xīn nián yuè lái yuè jìn le dì di sòng
新年越来越近了。弟弟送
gěi lǎo shī de suàn bú shàng shén me lǐ wù
给老师的算不上什么礼物，

qí shí shì zuì hǎo de lǐ wù —— yì kē zhēn chéng de xīn

其实是最好的礼物——一颗真诚的心！

思考·练习

1 阅读课文，回答问题。

(1)“弟弟”他们的小队商量要送给老师什么样的礼物？

(2) 小苇不小心撕坏了“弟弟”的作业本，“弟弟”为什么生那么大的气？

(3)“弟弟”原来有什么缺点？这些缺点是怎样克服的？

2 有感情地朗读课文。

基础训练8

字·词·句

一　读下面的绕口令，看谁读得又准又快。

xiǎo huá hé pàng wá
小 华 和 胖 娃，

zhòng huā yòu zhòng guā
种 花 又 种 瓜。

xiǎo huá huì zhòng huā bú huì zhòng guā
小 华 会 种 花 不 会 种 瓜，

pàng wá huì zhòng guā bú huì zhòng huā
胖 娃 会 种 瓜 不 会 种 花。

xiǎo huá jiāo pàng wá zhòng huā
小 华 教 胖 娃 种 花，

pàng wá jiāo xiǎo huá zhòng guā
胖 娃 教 小 华 种 瓜。

xiǎo huá xué huì le zhòng guā
小 华 学 会 了 种 瓜，

pàng wá xué huì le zhòng huā
胖 娃 学 会 了 种 花。

二 用下面的多音字组成词语。

扇<	shàn	（ ）	强<	qiáng	（ ）
	shān	（ ）		qiǎng	（ ）
相<	xiàng	（ ）	觉<	jué	（ ）
	xiāng	（ ）		jiào	（ ）
空<	kōng	（ ）	背<	bēi	（ ）
	kòng	（ ）		bèi	（ ）

三 读一读，比一比每组的两个词语的意思有什么不同。

犹豫	犹犹豫豫	收拾	收拾收拾
陆续	陆陆续续	可怜	可怜可怜
缝洗	缝缝洗洗	联系	联系联系
勉强	勉勉强强	暖和	暖和暖和

四 把不完整的句子补充完整，不通顺的句子改通顺，并加上标点。

1 我送给小丽同学

2 我最尊敬的人是

3 李勇被同学一定评为“三好”学生

4 这是晴朗的一个夜晚

五 照样子改写句子。

例：战士消灭了敌人。

战士把敌人消灭了。

1 密密层层的枝叶遮住了蓝蓝的天空。

2 邓奶奶补好了周总理的睡衣。

3 小喜鹊在白杨树上搭窝。

阅读

阅（yuè）读下边的短文，借助字典，理解“暴（bào）躁（zào）”“栖（qī）息”“敏锐”等词语，联系下文弄懂“形影不离”的意思。再说说第三自然段有几句话，每句话的意思是什么。

xī niú xìng qíng bào zào, fā qǐ pí qì lái, lián dà xiàng yě yào pà tā jǐ fēn。kě shì tā què róng rěn yì zhǒng fēi cháng ruò xiǎo de niǎo——xī niú niǎo, zài tā de bèi shàng tiào lái tiào qù, rèn yì wán shuǎ。tā men shì xíng yǐng bù lí de hǎo péng yǒu。

犀牛性情暴躁，发起脾气来，连大象也要怕它几分。可是它却容忍一种非常弱小的鸟——犀牛鸟，在它的背上跳来跳去，任意玩耍。它们是形影不离的好朋友。

zhè shì wèi shén me ne?

这是为什么呢？

yuán lái xī niú de pí fū suī rán dà bù
原来，犀牛的皮肤虽然大部

fen yìng rú tiě jiǎ zhòu zhě chù què fēi cháng nèn
分硬如铁甲，皱褶处却非常嫩

báo cháng cháng shòu dào yì xiē kūn chóng de dīng
薄，常常受到一些昆虫的叮

yǎo xī niú niǎo qī xī zài xī niú bèi shàng bǎ
咬。犀牛鸟栖息在犀牛背上，把

cáng zài xī niú
藏在犀牛

pí fū zhòu zhě
皮肤皱褶

lǐ de kūn chóng
里的昆虫

dàng zuò měi shí
当作美食。

tiān cháng rì jiǔ
天长日久，

xī niú hé xī
犀牛和犀

niú niǎo zhī jiān jiàn lì le shēn hòu de yǒu qíng xī
牛鸟之间建立了深厚的友情。犀

niú shì lì chà cháng zāo yì xiē dòng wù àn suàn
牛视力差，常遭一些动物暗算。

xī niú niǎo de shì jué què fēi cháng mǐn ruì měi
犀牛鸟的视觉却非常敏锐。每

dāng dí rén xiàng xī niú tōu xí shí xī niú niǎo jiù
当敌人向犀牛偷袭时，犀牛鸟就

fēi shàng fēi xià fā chū jiān ruì de jiào shēng xiàng
飞上飞下，发出尖锐的叫声，向

péng yǒu bào jǐng
朋友报警。

作文

参加一次活动（文艺活动、体育活动、班会、队会等），把这次活动的经过说一说，再写下来。内容要具（jù）体，语句要通顺。写完后，要认真读一读，修改用词不当、语句不通的地方。

生 字 表

看图学文

	xún	zhāo	mò	shén	cí	tān	suǒ	zhēn
1	寻	朝	磨	神	词	贪	索	珍
	xī	zhì	huì	qín	shè			
	惜	智	慧	勤	设			
	bān	dàn	ǎi	jiàn	kāng	zūn	kěn	lèi
2	班	蛋	蔼	健	康	尊	肯	累
	shāng	shùn	tòu	bō	li	shēn	mò	
	商	顺	透	玻	璃	深	默	

课文

	shè	jī	tū	tiē	fēn	fu	cè	jiāo
3	摄	基	突	贴	吩	咐	侧	胶
	juǎn	mì	zá	shè	zhě			
	卷	秘	杂	社	者			
	shī	sù	sì	wēi	chén	kǒng	dēng	yī
5	诗	宿	寺	危	辰	恐	登	依
	cuì	yàn	fù	chì	hè	chèn	líng	jí
6	翠	艳	腹	赤	褐	衬	灵	疾
	dài	pào	ruì	sì	dǎi	xī		
	待	泡	锐	饲	逮	希		

	fù	ráo	fáng	shào	fēng	huá	cì	jiǎn
7	富	饶	防	哨	丰	划	刺	拣
	qù	jī	liào	yì	yè	bì	jiāng	
	趣	积	料	义	业	必	将	
	shǔ	jià	tiě	sì	hū	yóu	yù	fèn
9	暑	假	铁	似	乎	犹	豫	奋
	pān	bìng	yú	biàn	wǔ	jué	jū	
	攀	并	于	辫	舞	决	居	
	chǔ	qī	mò	kǎo	shì	jūn	jì	tuì
10	础	期	末	考	试	均	绩	退
	fèn	nǔ	qiáo	yàn	xū	nài	yán	
	愤	努	瞧	验	需	耐	研	
	dié	yǒng	tān	zhèn	yù	zhàng	wěi	píng
12	叠	涌	滩	阵	喻	丈	伟	屏
	yān							
	烟							
	chōu	nèn	lù	yìng	fēng	yán	nóng	shè
13	抽	嫩	鹿	映	封	严	浓	舍
	xiàn	suān	guì	xī	hū	zhǎng	lín	
	献	酸	贵	膝	呼	掌	临	
	tōng	suí	gǎng	háng	liào	diào	huī	qí
14	通	随	港	航	瞭	吊	挥	旗
	zhì	měng	sǒng	tàn	fú	qǔ		
	帜	猛	耸	探	佛	曲		

看图学文

	dài	niē	lüè	pěng	yún	dèng	jiǎn	xiù
16	戴	捏	略	捧	匀	凳	剪	绣
	yán	zhēng						
	延	征						
	hàn	lín	jì	kùn	biàn	jí	cháng	féng
17	汉	邻	济	困	便	及	肠	缝
	tì	yán	gù	cā	huàn	liàng		
	替	盐	顾	擦	换	晾		

课文

	jiāo	sàn	rě	zhā	huò	jiān		
18	郊	散	惹	渣	或	坚		
	mǐn	kàng	pī	lián	xì	mìng	sōu	mō
20	敏	抗	批	联	系	命	搜	摸
	wò	zī	shì	wēi	zhà	cái	qián	
	握	姿	势	威	炸	财	钱	
	bàng	duàn	lù	xù	xiū	yān	réng	xiǎn
21	棒	断	陆	续	休	淹	仍	险
	jì	xùn	sù	duó	miǎo			
	继	迅	速	夺	秒			
	láo	cháo	méi	chòu	jiān	yù	zhé	wù
22	牢	潮	霉	臭	监	狱	折	务
	nèi	miǎn	zhèng	pā				
	内	勉	政	趴				

sù è sǐ cán guī lèi luó

24 粟 饿 死 蚕 归 泪 罗

yù zé jīn pí chuǎn fèi jié shǒu

25 寓 则 筋 疲 喘 费 截 守

zhū cuàn zhuàng chú

株 窜 撞 锄

xiàn liáng jiù shàn xìng shēn piàn jiǎo

26 陷 良 救 善 性 伸 骗 狡

huá jìn xiōng è hěn rǎng shí

猾 劲 凶 恶 狠 嚷 拾

dùn tíng jù fǔ kuā jiǎng tuī shuāi

28 顿 庭 锯 斧 夸 奖 推 摔

shòu dàn dī yù rèn hé guàn

受 但 滴 遇 任 何 惯

kēng sī tàn yuè fù zhāo bí cōng

29 坑 司 叹 悦 妇 招 鼻 聪

shì gǎn mī wū pēn guāi zàn

示 感 眯 污 喷 乖 赞

（共 280 字）

（京）新登字113号

九年义务教育六年制小学教科书
语　文
第五册
人民教育出版社小学语文室　编著
*
人 民 教 育 出 版 社 出 版
辽 海 出 版 社 重 印
辽 宁 省 新 华 书 店 发 行
辽 宁 美 术 印 刷 厂 印 装
*
开本 880×1230　1/32　印张 6　字数 150,000
1994年10月第1版　　1999年3月第6次印刷
印数 1—100,000（99秋）
ISBN 7-107-02246-6
G·4082（课）定价 8.15元